Wie Kunst dein Leben verändern kann

Susie Hodge

Wie Kunst dein Leben verändern kann

Inhalt

Einführung

Die bildende Kunst kann mit uns auf eine Weise kommunizieren, wie es Worte allein nicht vermögen. Sie kann aufschlussreich, erhebend, anspruchsvoll, informativ, fesselnd und amüsant sein, Erkenntnisse offenbaren, Erinnerungen teilen, neue Ideen bieten und therapeutisch wirken und damit bei emotionalen, mentalen oder Verhaltensproblemen helfen. Ärzte empfehlen Besuche von Museen und Galerien für Patienten, die an Stress, Burnout und Einsamkeit leiden oder die Symptome von Krankheiten wie Demenz bekämpfen. Museen und Galerien ziehen aus unterschiedlichen Gründen eine Vielzahl an Besuchern an und beweisen damit, dass Kunst ein wichtiger Teil der Gesellschaft ist.

Kunst und Emotion

Kunst ist viel mehr als nur visuelle Stimulation – sie hat die Macht zu heilen, Hoffnung zu verleihen, Einstellungen zu verändern, zur Selbstbetrachtung anzuregen und uns an Werte zu erinnern, die wir vergessen glaubten. Kunst spiegelt die Gesellschaft wider, zeigt uns oft neue Perspektiven und drückt Realitäten und Schwierigkeiten in unseren Gemeinschaften aus. Sie kann frische Einsichten und Ideen liefern und die Aufmerksamkeit auf das lenken, was sonst vielleicht unsichtbar bleibt. Seit ihren Anfängen Ende des 19. Jahrhunderts erkannte die Psychologie die Kunst als wichtiges Mittel an, um Gefühle, Einstellungen und Verhaltensweisen auszudrücken, zu kanalisieren und zu erkunden. Seit Jahrhunderten ist Künstlern die heilende Kraft der Kunst bekannt, und viele nutzten sie, um mit persönlichen Herausforderungen zurechtzukommen. So schrieb zum Beispiel Edvard Munch: »Solange ich denken kann, litt ich an einem tiefen Gefühl der Beklemmung, das ich in meiner Kunst auszudrücken versuchte.«[1] Georgia O'Keeffe sinnierte: »Ich stellte fest, dass

Der Schrei (Detail) von Edvard Munch; siehe Seite 71.

ich mit Farben und Formen Dinge sagen konnte, die ich auf andere Weise nicht sagen konnte; Dinge, für die ich keine Worte hatte.«[2] Louise Nevelson erklärte:»Plötzlich sah ich einen Lichtspalt … Dann sah ich Formen im Licht. Und ich erkannte, dass es keine Dunkelheit gab, dass in der Dunkelheit immer Licht sein würde.«[3] Und Tracey Emin erinnerte sich:»Nur die Kunst hat mich aufrecht gehalten, mir Vertrauen in meine eigene Existenz gegeben.«[4] Die Kunstwelt erkannte, dass Kunst auch ihren Betrachtern helfen kann.

Machtvolle Wirkungen

Ein Experiment des britischen Neurowissenschaftlers Professor Semir Zeki zeigt, was passiert, wenn wir Kunst anschauen.[5] Er scannte die Gehirne von Menschen, die Gemälde von Künstlern wie John Constable, Jean-Auguste-Dominic Ingres, Hieronymus Bosch, Claude Monet, Rembrandt, Leonardo da Vinci und Paul Cézanne betrachteten.»Schaut man Kunst an … gibt es eine starke Aktivität in dem Teil des Hirns, der für Freude zuständig ist. … Die Reaktion kam unmittelbar. … Der Blutfluss nahm für ein schönes Gemälde ebenso zu, als wenn man jemanden sieht, den man liebt. … Wir erkannten erst bei diesen Untersuchungen, welch machtvolle Wirkung die Kunst auf das Gehirn ausübt.«[6] Man stellte fest, dass das Betrachten von Kunst die Konzentration des Stresshormons Kortisol im Körper senken und den Anteil des Glückshormons Dopamin steigern kann.

Eine Studie von 2016 zeigte, dass das Anschauen von Naturbildern, besonders von Landschaften und Seestücken, Stress abbauen und damit chronischem Stress und stressbezogenen Krankheiten vorbeugen kann. Forscher vom Vrije University Medical Centre in Amsterdam demonstrierten in einem Experiment mit 46 Teilnehmern, wie das Betrachten von Bildern mit Naturszenen die Nerven beruhigt.[7] Dies sind nur zwei von vielen Studien, die beweisen, dass Kunst sich als Mittel zur Therapie eignet.

Emotionen bewältigen

Kunst kann uns auf vielerlei Art helfen. Wenn wir die Absichten oder Arbeitsweisen eines Künstlers verstehen und uns mit Aspekten bestimmter Kunstwerke beschäftigen, können wir lernen, besser mit unseren Emotionen zurechtzukommen, neue Standpunkte einzunehmen und positiver mit besonderen Situationen und Überzeugungen umzugehen. Selbst verstörende Kunst kann alternative Denkweisen auslösen und uns in die Lage versetzen, unsere Emotionen auf andere Arten zu bewältigen. Seit Tausenden von Jahren vermitteln Künstler uns Ideen, Gefühle, Träume, Geschichten, Erfahrungen, Beobachtungen und Hoffnungen. Dieses Buch möchte Ihnen helfen, diese anders zu »lesen« und einen neuen Umgang mit Ihren Gefühlen zu erlernen. Mehr als 70 Künstlerinnen und Künstler werden mit ihren Werken herangezogen, darunter Artemisia Gentileschi, Yinka Shonibare, Francisco de Goya, Claude Monet, Frida Kahlo, Gustav Klimt, Caravaggio, Vincent van Gogh, Elizabeth Catlett, Andy Warhol und Henri Matisse. Ihre Werke und Ideen sind so individuell wie wir alle, und das ist ein weiterer positiver Aspekt bei dieser Art der Kunstbetrachtung: Emotionen mögen universell sein, unsere Interpretationen und Reaktionen gehören jedoch ganz uns selbst. Lassen Sie sich von den Ideen in diesem Buch leiten und entdecken Sie, wie Sie auf frische und fantastische Art mit Kunst in Kontakt treten können.

1 Ragna Stang, *Edvard Munch: The Man and the Artist* (London: Gordon Fraser, 1979).

2 Georgia O'Keeffe Museum, »Visual Vocabulary«, 6. Juli 2015, www.okeeffemuseum.org/visual-vocabulary.

3 Louise Nevelson, *Dawns and Dusks: Taped Conversations with Diana MacKown* (New York: Scribner, 1976).

4 Tracey Emin, *Strangeland* (London: Sceptre, 2013).

5 Semir Zeki, *Inner Vision: An Exploration of Art and the Brain* (Oxford: Oxford University Press, 2003).

6 Zitiert in Robert Mendick, »Brain Scans Reveal the Power of Art«, *The Telegraph*, 8. Mai 2011.

7 Peter Dockrill, »Just Looking at Photos of Nature Could Be Enough to Lower Your Work Stress Levels«, *Science Alert*, 23. März 2016.

Die japanische Brücke (Detail) von Claude Monet; siehe Seite 43.

Wut zerstreuen

Menschen, die ihre Emotionen unterdrücken, ausblenden oder sich mit ihnen quälen, merken schnell, dass diese Gefühle zu gären beginnen. Solche Emotionen werden in einem Maße aufgebläht, dass sie erdrückend werden oder überhand nehmen und das Verhalten der Person beeinträchtigen. Kunst bildet eine Möglichkeit, um Ärger abzulassen oder zu mildern. Das Erschaffen oder Studieren von Kunst kann uns als eine Art kathartisches Erlebnis helfen, der alltäglichen Welt zu entfliehen oder sie zu verarbeiten. Artemisia Gentileschi, George Grosz und Francis Bacon sind drei Beispiele für Künstler, denen ihre Kunst als Ventil für ihre Wut diente. Sie drückten die Dinge aus, die sie zornig machten, und artikulierten das, was sie fühlten, durch ihre Themen und den Akt der Schöpfung. Dieses Vorgehen erlaubte es den Künstlern, ihre Emotionen zu erkunden, ohne sich selbst oder anderen zu schaden. Indem sie ihren Ärger durch die Kunst benannten und kanalisierten, löste sich dessen Energie auf und verschwand. Künstler oder Betrachter beschreiten einen Weg zur Selbsterkenntnis und – hoffentlich – zur Akzeptanz.

Der große Tag seines Zorns (Detail)
von John Martin; siehe Seite 25.

Wut zerstreuen

Giotto di Bondone »Wen ich die Giotto-Fresken in Padua sehe … nehme ich sofort das Gefühl wahr, das sie ausstrahlen.« Henri Matisse

Vater der Renaissance

Der oft als »Vater der Renaissance« bezeichnete Giotto di Bondone (ca. 1267–1337) war der erste Künstler, der sich von den byzantinischen, gotischen und mittelalterlichen Malstilen löste und Stilisierung durch Naturalismus und ein Gefühl für den dreidimensionalen Raum ersetzte. Doch trotz seiner Bedeutung für die Kunstgeschichte ist kaum etwas über Giottos Leben bekannt und nur wenige Werke können sicher ihm zugeordnet werden. In oder bei Florenz geboren, wurde er zum gefeiertsten Künstler seiner Zeit in ganz Italien. Ab etwa 1303 schuf er in der Scrovegni-Kapelle von Padua einen heute weltberühmten Freskenzyklus. 1334 wurde er zum leitenden Baumeister des Doms von Florenz berufen. Sein berühmtester architektonischer Entwurf ist der Glockenturm, auch »Campanile di Giotto« genannt.

Dreidimensionalität

Dieses Werk, das zu Giottos berühmtesten zählt, ist völlig anders als jedes andere bekannte Gemälde aus dieser Zeit. Die nach sorgfältiger Beobachtung gemalten Figuren wirken körperlich und dreidimensional, zeigen wirklichkeitsgetreue Gesichter und Gesten und natürlich fallende Kleidung – ein Effekt, der durch farbliche Kontraste erreicht wird. Das von dem Bankier Enrico degli Scrovegni aus Padua beauftragte Bild, das zu den Fresken für die von ihm erbaute kleine Kapelle gehört, erzählt eine beliebte biblische Geschichte. Jesus ist aufgebracht. Mit geballter Faust stürzt er sich auf einen zurückweichenden Geldwechsler. Es war üblich, dass die Juden an bestimmten Feiertagen im Tempel Tieropfer darbrachten und Geld spendeten. Deshalb warteten vor dem Tempel Händler, um fremde Geldmünzen einzutauschen und Tiere zu verkaufen. In dieser Geschichte bringt Jesus seinen Zorn über die Geldwechsler auf dem Tempelgelände zum Ausdruck und vertreibt die Händler.

Gerechter Zorn

Während der Reformation war diese Geschichte ein beliebtes Thema in der Kunst. Sie diente als Symbol dafür, dass die Kirche sich reinigen und reformieren müsse. Auf einer höheren Ebene zeigt sie, dass Zorn eine machtvolle Kraft für das Gute sein und der Gerechtigkeit dienen – die oftmals armen Kunden wurden von den Händlern der biblischen Geschichte betrogen – oder für eine feste Überzeugung eintreten könne. Dieses Bild stellt einen entschlossenen Zorn dar, der etwas bewirken kann. Anstatt zu leiden und sich nach innen zu kehren, können starke Emotionen wie Zorn oder Frustration eine Veränderung im eigenen Leben oder in der Welt auslösen und so eine Quelle positiver Energie werden.

Die Vertreibung der Geldwechsler aus dem Tempel
1304–1306 • Fresko • 185 x 200 cm • Cappella degli Scrovegni, Padua, Italien

Francis Bacon »*Ich bin der festen Überzeugung, dass ein Künstler sich von seinen Leidenschaften und seiner Verzweiflung nähren muss.*«

Bacons Vertreibung

Francis Bacon (1909–1992), einer der wichtigsten gegenständlichen Maler Großbritanniens des 20. Jahrhunderts, war von einer Vielzahl künstlerischer Einflüsse inspiriert, darunter Surrealismus, Tizian, Picasso, Goya, Delacroix und Velázquez. Besonders bekannt ist er für seine Gemälde gepeinigter Figuren. In eine englische Familie in Dublin hineingeboren, war er nach seinem berühmten Vorfahren, dem Philosophen und Wissenschaftler Sir Francis Bacon (1561–1626) benannt. Aus seiner Internatsschule flüchtete er wiederholt. Als er siebzehn war, entdeckte sein Vater seine Homosexualität und warf ihn aus dem Haus. Er lebte in London, Paris und Berlin von Gelegenheitsarbeiten, bevor er 1928 begann, als Innenausstatter in London zu arbeiten. Aufgrund seines Asthmas war er im 2. Weltkrieg vom Militärdienst befreit.

Geisterhafter Kopf

1935 fand Bacon ein wissenschaftliches Buch über die Krankheiten des Mundes. Das faszinierte ihn: »Es enthielt wunderbare handkolorierte Bildtafeln der Krankheiten des Mundes … und der Untersuchung des Mundinneren.« Außerdem hatte er in seinem Studio Reproduktionen des Porträts von *Papst Innozenz X.* (1650) von Diego Velázquez (1599–1660), auf das dieses Gemälde beruht. Gemeinhin als *Der schreiende Papst* bekannt, ist es ein viszerales, albtraumhaftes Abbild der menschlichen Verwundbarkeit und der Emotionen Angst, Frustration und Zorn. Hinter einem transparenten Vorhang aus Farbe scheint die Figur auf einem elektrischen Stuhl zu sitzen. Ihr geisterhafter, schreiender Kopf ähnelt dem Gesicht der von Soldaten erschossenen, sterbenden Kinderfrau aus dem sowjetischen Film *Panzerkreuzer Potemkin* (1925) von Sergei Eisenstein zu ähneln, den Bacon als Inspiration angab.

Rohe Emotionen verarbeiten

Bacon, ein produktiver Maler, erfuhr wegen seiner Sexualität heftige Ablehnung, besonders von seinem Vater. Nachdem sein Liebhaber George Dyer 1971 durch Selbstmord gestorben war, wurde seine Kunst noch düsterer. In seinen verstörenden und beunruhigenden Gemälden erkundete er negative Gefühl wie Schmerz, Angst und Zorn. Sein heftiger, grotesker Stil stellt verzerrte Formen und gepeinigte menschliche Figuren dar, die – so wie hier – vor Schmerz oder Schrecken zu schreien scheinen und damit seine eigenen oft rohen und gequälten Emotionen widerspiegeln. Die nähere Betrachtung solcher Bilder kann dabei helfen, schwierige Emotionen aufzugreifen und zu verarbeiten. Bacons lebhafte, energische Malerei könnte die Betrachter dazu bringen, mit dem dargestellten Schmerz und der Wut zu sympathisieren und durch diese Erfahrung die eigene einsame Intensität dieser Emotionen zu lindern.

Studie nach Velázquez' Porträt von Papst Innozenz X.
1953 • Öl auf Leinwand • 153 x 118 cm
Des Moines Art Center, Iowa, USA

**Wut
zerstreuen**

Artemisia Gentileschi *»Wäre ich ein Mann, kann ich mir nicht vorstellen, dass es so gekommen wäre.«*

Gentileschis Herausforderungen

Die in Rom geborene Artemisia Gentileschi (1593–ca. 1656) erhielt ihre Ausbildung in der Werkstatt ihres Vaters Orazio Gentileschi (1563–1639) und wurde genau wie er von Caravaggio beeinflusst. Anstelle der zurückhaltenden Bilder, die man von Künstlerinnen erwartete, malte sie dramatische Geschichten und wurde zum viel bejubelten ersten weiblichen Mitglied der angesehenen Accademia delle Arti del Disegno in Florenz. Sie pflegte Umgang mit den Denkern ihrer Zeit und unterstützte ihren Ehemann und ihre Kinder finanziell. Mit achtzehn Jahren war sie von dem Künstlerkollegen ihres Vaters Agostino Tassi (ca. 1580–1644) vergewaltigt worden. Als Tassi sein Eheversprechen nicht einlöste, ging Orazio juristisch gegen ihn vor. Während des siebenmonatigen Prozesses war Artemisia gezwungen, unter Folter auszusagen. Und obwohl Tassi zum Exil aus Rom verurteilt worden war, wurde das Urteil nie vollstreckt.

Biblisches Drama

In diesem Werk, der zweiten der beiden Versionen, die sie von dem Thema gemalt hatte, stellt Gentileschi eine Szene aus dem Buch Judith dar, einem apokryphen Buch des Alten Testaments. Der Augenblick, in dem Holofernes von der Witwe Judith getötet wird, gilt oft als Verkörperung der weiblichen Wut. Der assyrische General hatte Judiths Heimatstadt Betulia überfallen. Judith verführte ihn,

als er betrunken war, schlug ihm den Kopf ab und rettete so ihr Volk. Gentileschi – die sagte: »Solange ich lebe, werde ich Kontrolle über mein Sein haben.« – dramatisiert den Moment, in dem Judith und ihre Magd Holofernes köpfen. Sein Kopf ragt in wundervoller Verkürzung aus der Leinwand hervor. Gentileschi stellt sich selbst ganz bewusst als Heldin und Tassi als Bösewicht dar.

Katharsis durch Kreativität

Gentileschis Porträts von Tassi und sich selbst als Protagonisten in diesem Bild und die grausame Intensität des Themas scheinen eine Möglichkeit zu sein, ihre Wut zu bewältigen – eine Form der künstlerischen Vergeltung des Leids der Vergewaltigung, des harten und erniedrigenden öffentlichen Prozesses und der Folter sowie der Ungerechtigkeit, als Tassi seiner Strafe entging. Selbst wenn die Wut überwältigend wird, gibt es Methoden, um sie zu kanalisieren und in etwas Machtvolles zu verwandeln, wie Gentileschi mit diesem Bild bewies. Hier und in ihren anderen Werken wird klar, dass sie ihrer Kunst ergeben war und darin ein Ventil für die Rage gefunden haben könnte, die sich in den Gesichtern von Judith und ihrer Magd offenbart. Wut könnte ihren Ausdruck in der Kreativität finden und sich nach außen wenden, statt unterdrückt zu werden und wahren Schaden anzurichten.

Judith enthauptet Holofernes
ca. 1620 • Öl auf Leinwand • 146,5 x 108 cm
Galleria degli Uffizi, Florenz, Italien

George Grosz »*Frieden war ausgerufen, aber nicht alle von uns waren trunken vor Freude oder mit Blindheit geschlagen.*«

Grosz' Desillusionierung

George Grosz (1893–1959), ein wichtiger Vertreter der Neuen Sachlichkeit, war ein linker Kriegsgegner. Geboren in Berlin, kam er mit acht Jahren mit seiner Familie nach Stolp in Pommern (heute in Polen). Er studierte an der Königlich Sächsischen Kunstgewerbeschule in Dresden und an der Kunstgewerbeschule in Berlin, wo er die deutschen Expressionisten kennenlernte. Bei Ausbruch des 1. Weltkriegs trat er in das Heer ein, wurde aber wegen einer Sinusitis entlassen. Als man ihn 1917 wieder an die Front beorderte, erlitt er einen Zusammenbruch und wurde in eine Nervenheilanstalt eingewiesen. Nach dem Krieg schloss er sich dem Dadaismus an. Seine Kunst, die die Nazis später als entartet einstuften, drückt seinen Ekel vor der Gewalt des Krieges aus. 1938 erhielt er die amerikanische Staatsbürgerschaft.

Der Verfall einer Gesellschaft

In seinen Arbeiten kritisierte Grosz das, was er als Verfall der deutschen Gesellschaft nach dem 1. Weltkrieg ansah. Dieses Bild zeigt einen Leichenzug in einer blutroten Stadt. Gewidmet ist es dem deutschen Psychiater und Schriftsteller Oskar Panizza, dessen Stück *Das Liebeskonzil* (1894) den ersten historisch dokumentierten Ausbruch der Syphilis erwähnt und Gott als senilen alten Mann darstellt. Das auf dem Sarg sitzende Skelett mit der Flasche repräsentiert den Sensenmann, die Trauernden sind von Alkoholismus und Syphilis gezeichnet und die hohen, schiefen Häuser scheinen über ihnen zusammenzustürzen. Das Werk vermittelt Grosz' Wut und Misstrauen: »Ich malte diesen Protest gegen eine Menschheit, die verrückt geworden war«. In einem Brief beschrieb er es als ein »Bild der Hölle« und eine »Gin Alley aus grotesken toten Körpern und Irren«.

Satire, Witz und Spott

Vom Krieg traumatisiert und zornig, wütete Grosz gegen die für ihn korrupte und unmoralische Gesellschaft sowie die dafür verantwortlichen Regierungen. Mittels Satire und Allegorien forderte er das politisch verlogene Regime und die Dekadenz im Deutschland der 1920er- und 1930er-Jahre heraus. Seine Kunst mahnte wie ein Weckruf die Realität der Unterdrückung durch die Regierung an. Die Menschen in seinem Gemälde sind keine speziellen Personen, sondern allegorische Figuren, die unterschiedliche Klassen und Probleme in der damaligen deutschen Gesellschaft repräsentieren. Grosz ist ein Künstler von vielen – darunter William Hogarth, Banksy, Grant Wood, Raoul Hausmann, Honoré Daumier, Hannah Höch und Marcel Duchamp – die ihre Wut in beißenden Spott gegossen haben. Grosz verwandelte Rage in Gelächter und nutzte Satire und Spott als nützliches Mittel, um das deutsche Regime anzugreifen und zu kritisieren.

Der Leichenzug: Gewidmet Oskar Panizza

ca. 1917–18 • Öl auf Leinwand • 140 x 110 cm
Staatsgalerie Stuttgart, Deutschland

Pipilotti Rist »*Ich neige dazu, alle Sinne und den ganzen Körper eines potenziellen Zuschauers willkommen zu heißen.*«

Rists Verrenkungen

Die für ihre experimentellen Videos und Installationen bekannte Pipilotti Rist (geb. 1962) erschafft eine farbenfrohe, abstrakte und oft surreale visuelle und musikalische Bilderwelt, in der sie Geschlecht, Sexualität und Emotionen erkundet. Geboren im Schweizerischen Grabs, studierte sie Gebrauchs-, Illustrations- und Fotografik sowie audiovisuelle Kommunikation. Sie spielte in einer Band und entwarf Bühnenbilder – ihre Kunst vereinte Musik und Theatralik. Rists meist nur wenige Minuten lange Werke verbinden vertraute Bilder mit verfremdenden Elementen wie Farben, Geschwindigkeit oder Sound. In ihrer Überzeugung, dass Kunst zu Offenheit anregen, Vorurteile zerstören und positive Energie erschaffen soll, arbeitet sie häufig mit Gegensätzen wie etwa widerstreitenden Emotionen, die uns auffordern, eigene Schlüsse zu ziehen.

Lächelnde Zerstörung

Das Bild stammt aus einem Zeitlupenvideo, in dem eine junge Frau in einem hellblauen Kleid und roten Schuhen (Rist selbst) lächelnd mit einer langstieligen Blume eine Straße entlanggeht. Tatsächlich ist die Blume ein Hammer, mit dem die Frau im Vorbeigehen die Fenster parkender Autos einschlägt. Eine Polizistin nähert sich. Sie hält jedoch nicht inne, sondern grüßt die junge Frau lediglich mit einem Lächeln und geht weiter, so als würde sie das zerstörerische Verhalten gutheißen.

Der Bildschirm ist senkrecht geteilt. Das Video in der anderen Hälfte zeigt Nahaufnahmen derselben Blume in der Natur. Vor dem Klang des splitternden Glases hört man sanfte Musik und Vogelgezwitscher.

Zur Komplizenschaft einladen

Diese Installation stellt Gewalt und die gegensätzlichen Emotionen Glück und Wut dar. Auch andere haben Zerstörung zum Bestandteil ihrer Kunst gemacht, wie Robert Rauschenberg (1925–2008), der 1953 eine Zeichnung des verehrten Künstlers Willem de Kooning (1904–1997) ausradierte. In *Dropping a Han Dynasty Urn* (1995) wird Ai Weiwei (geb. 1957) dabei fotografiert, wie er ein 2.000 Jahre altes Artefakt zerstört. 2018 versteckte der Streetart-Künstler Banksy einen Schredder im Rahmen seines Bildes *Girl with Balloon*. Als dies für 1 Million Pfund bei Sotheby's in London verkauft wurde, sahen die Zuschauer, wie es sich selbst zerstörte. Es ist faszinierend und insgeheim vielleicht sogar vergnüglich, jemandem bei seinem Zerstörungswerk zuzuschauen. In Rists Werk wurde die Sanftmut der Natur zu einer Waffe, Wut vermischte sich mit Frohsinn. Die Intimität des Gefilmten lädt uns ein: nicken und lächeln wir wie die Polizistin oder sind wir entsetzt ob des gewalttätigen Ausbruchs? Wenn Rist ihren Hammer erhebt, werden wir ermahnt, uns langsamer zu empören und unsere Reaktionen zu beruhigen.

Ever Is Over All
1997 • Audio-Video-Installation von Pipilotti Rist (Standbild) • 4:07 Minuten • variable Größe
Museum of Modern Art, New York, USA

John Martin *»Denn es ist gekommen der große Tag ihres Zorns, und wer kann bestehen?«* Offenbarung 6:17

Martins Drama

Der im nordenglischen Northumberland geborene John Martin (1789–1854) sollte eigentlich bei einem Kutschenbauer die Kunst des Wappenmalens erlernen, ging dann aber bei einem Porzellanmaler in die Lehre. Er zog 1806 nach London und stellte ab 1811 seine Gemälde aus. Bekannt war er für seine religiösen Bilder mit fantasievollen riesigen Landschaften, Städten und winzigen Figuren. Er entwarf außerdem verschiedene städtebauliche Verbesserungen für London und schuf Grafiken seiner Gemälde, die außerordentlich beliebt waren; sie brachten ihm in Frankreich eine Medaille ein, in Belgien schlug man ihn zum Ritter des Leopoldsordens. Man nannte ihn den »beliebtesten Maler seiner Zeit«, auch wenn einige dem widersprachen. Sein Ruf nahm während der Romantik noch zu, als riesige dramatische und anregende Landschaften besonders populär waren.

Ein mächtiges Gericht

Dies ist das dritte Gemälde aus einem Triptychon, das als *Judgment Series* bekannt ist. Das riesige Bild illustriert folgende Passage über das Jüngste Gericht im Neuen Testament: »Und ich sah … da geschah ein großes Erdbeben, und die Sonne wurde finster wie ein schwarzer Sack, und der ganze Mond wurde wie Blut, und die Sterne des Himmels fielen auf die Erde« (Offenbarung 6:12–13).

Martin folgt der biblischen Beschreibung, schmückt das Bild aber noch weiter aus mit theatralischen Effekten, die die verheerende Kraft der Natur und die Verwundbarkeit der Menschen angesichts von Gottes Zorn zeigen. Verwüstung überall: Felsen und Berge wanken, und eine Stadt wird zerstört. Ein blutrotes Leuchten liegt über der Szene, während Blitze riesige Felsbrocken in einen Abgrund schleudern und Menschen in den Tod stürzen.

Erkennen und bewältigen

Wut kann problematisch sein, wenn sie außer Kontrolle gerät und Schaden anrichtet. Die Szene in diesem Gemälde ist beispielhaft dafür; ein Bild von Zerstörung, Aggression und Gewalt. Wut ist eine normale, gesunde Emotion und nicht immer negativ. Manchmal hilft sie, Probleme oder schädliche Umstände zu erkennen, und motiviert uns, etwas zu verändern oder Ziele zu erreichen. Sie kann uns bei Gefahr den entscheidenden Schub an Energie liefern. Methoden zu lernen, um Wut zu erkennen und zu bewältigen, ist für die geistige und körperliche Gesundheit wichtig. Eine Methode ist, was christlichen Betrachtern damals gesagt worden wäre: Seid dankbar. Das Gefühl der Wut lässt sich reduzieren oder neutralisieren, indem man Dinge auflistet, für die man dankbar sein kann, oder indem man sich auf das Gute im Leben konzentriert.

***The Great Day of His Wrath** – Der große Tag seines Zorns*
1851–53 • Öl auf Leinwand • 197 x 303 cm • Tate Britain, London, Großbritannien

Angst bezwingen

Angst ist ein machtvolles und primitives Gefühl, an dem eine biochemische und eine emotionale Reaktion beteiligt sind. Sie kann aus echten, aber auch aus eingebildeten Gefahren erwachsen. Manche Menschen ziehen einen Nutzen aus ihr, während andere versuchen, Situationen zu vermeiden, die ihnen Angst machen. Sie ist eine wichtige menschliche Emotion, die Schutz vor Gefahr bieten und den Anstoß liefern kann, etwas zu unternehmen. Sie kann aber auch zu Sorge und Beklemmungen führen.

Künstler begannen erst Ende des 18. und Anfang des 19. Jahrhunderts damit, die Gefühle Angst und Horror durch ihre Kunst auszudrücken. Es war eine Reaktion auf den Klassizismus, der rational und logisch war. Die Romantik betonte im Gegensatz dazu Gefühl und Einbildungskraft. Die Erforschung dieser Dinge in der Malerei erfolgte als erstes und vielleicht am erfolgreichsten durch Goya und Johann Heinrich Füssli (1741–1825). Im 20. Jahrhundert schufen Künstlerinnen wie Käthe Kollwitz und Louise Bourgeois psychologische Bildwelten, die aus universellen Ängsten schöpften, während Yinka Shonibare und Winifred Knights sich auf die Schrecken konzentrierten, die ihren eigenen Gesellschaften innewohnten.

Saturn (Detail) von Francisco de Goya; siehe Seite 39.

Angst
bezwingen

Käthe Kollwitz »*Ich soll das Leiden der Menschen, das nie ein Ende nimmt, das jetzt bergegroß ist, aussprechen.*«

Kriegsgegnerin

Käthe Kollwitz (1867–1945), in Königsberg geboren, hatte sich der Darstellung des Leids der Arbeiter und Bauern, der Angst und des Traumas des Krieges verschrieben. Sie war die erste Frau in der Preußischen Akademie der Künste. Als Kind litt sie vermutlich an einer neurologischen Wahrnehmungsstörung, die mit Halluzinationen und Migräne einhergeht. An der Kunstschule in Berlin ließ sie sich von den Werken Max Klingers (1857–1920) inspirieren, ab 1888 konzentrierte sie sich an der Damenakademie München vor allem auf das Herstellen von Druckgrafiken. Darüber hinaus schuf sie Skulpturen, die Antikriegsthemen aufgreifen und ihr Mitgefühl mit dem menschlichen Leid ausdrücken. 1914 fiel ihr jüngerer Sohn Peter im 1. Weltkrieg, was eine langjährige Depression auslöste. 28 Jahre später fiel ihr Enkel Peter im 2. Weltkrieg.

Aufstand

1893 besuchte Kollwitz in Berlin eine Privatvorführung von Gerhart Hauptmanns Stück *Die Weber* (1892), das vom Aufstand schlesischer Arbeiter im Jahr 1844 handelt. Zur Niederschlagung des Aufstands ruft der Fabrikant das Militär, und eine verirrte Kugel tötet einen älteren Mann, der sich dem Aufstand entgegengestellt hatte. Kollwitz schuf daraufhin eine Reihe von Drucken mit dem Titel *Ein Weberaufstand*, die von den Themen des Stücks inspiriert waren: Armut,

Kindersterblichkeit, Gewalt, Rebellion und Vergeltung. Dieses Bild, die vierte der sechs Bildtafeln, zeigt den fortwährenden Kampf der Arbeiter und den Aufstand, als sie entschieden, dass es reicht. Das Werk gewann breite Anerkennung und wurde für eine Goldmedaille der Großen Deutschen Kunstausstellung in Berlin nominiert.

Teilen

Angst ist eine natürliche und manchmal nützliche Emotion, auf die der menschliche Körper reagiert, als wäre sein Leben in Gefahr. Kollwitz zeigt die persönlichen Ängste der Arbeiter, aber auch ihre Entschlossenheit, diese zu überwinden und für ihre Rechte einzutreten. Diese Sorgen zählten zu ihren Hauptinteressen. Sie und andere Künstler, wie etwa Dorothea Lange (1895–1965), verarbeiteten diese Auffassung von Angst und Isolation in ihrer Kunst. So sprechen aus Langes Foto *Migrant Mother* (1936) Beklemmung und Unruhe, die durch die Weltwirtschaftskrise der 1930er-Jahre verursacht wurden. Kollwitz' Bild verdeutlicht den kollektiven Entschluss, eine ungerechte Lage zu verbessern. Hunger und Not bezwingen den einzelnen Menschen, doch wenn viele zusammenkommen, verringert sich ihre Angst. Das Gefühl der Isolation kann einzelne Ängste verstärken, während die Solidarität einer Gruppe hilft, sie zu lindern.

Marsch der Weber

1897 • Radierung • 39 x 50,2 cm • Privatsammlung

Angst
bezwingen

Yinka Shonibare *»Es geht darum, Fragen aufzuwerfen, statt sie zu beantworten.«*

Gemischte Identitäten

Yinka Shonibare (geb. 1962) kam in Großbritannien zur Welt, wuchs in Lagos auf und kehrte mit siebzehn Jahren nach London zurück. Ein Jahr später erkrankte er an Transverser Myelitis, einer Krankheit der Wirbelsäule, aufgrund derer er einseitig gelähmt und auf einen Rollstuhl angewiesen ist. Seine Kunst, die verschiedene Medien nutzt, befasst sich mit Dingen wie Identität, Rasse und Klasse. Er verwendet immer wieder farbige Batikstoffe aus den Niederlanden, die er in London kauft. Diese wurde ursprünglich für indonesische Märkte hergestellt, dann aber in Westafrika verkauft. »Diese Stoffe sind nicht so authentisch afrikanisch, wie die Leute glauben ... Es ist die Art, wie ich Kultur sehe ... ein künstliches Konstrukt.« Shonibare wurde für den Turner Prize nominiert und 2019 zum CBE ernannt.

Korruption, Gier und Verdorbenheit

Ohne Köpfe können diese mehrdeutigen Figuren in ihren auffallenden Kostümen kaum einem Alter, einer Nationalität, gesellschaftlichen Klasse oder einem Ausdruck zugeordnet werden, obwohl der Stoff auf Afrika und die Kostüme auf die europäische Oberklasse des 18. Jahrhunderts hindeuten. Angelehnt an die Komposition von Leonardo da Vincis *Abendmahl* (1495–98) erkundet dieses Werk Korruption, Gier und Verdorbenheit. Laut Shonibare entstanden die Figuren als Witz über die Französische Revolution, während adlige Köpfe rollten. Er schuf sie während einer Bankenkrise als Kommentar auf die wachsende Lücke zwischen Arm und Reich. Das Werk erkundet menschliche Fehler, darunter die Angst vor dem Zusammenbruch der Gesellschaft wegen der Verschwendungssucht einiger und der Entbehrungen anderer. Jesus ist zu Bacchus geworden, dem römischen Gott des Weins. Neben ihm sitzen die Apostel in unanständigen Posen.

Die Geschichte verkomplizieren

Shonibare sagte einmal, seine größte Angst sei die Armut. Die kopflosen Figuren sitzen vor einem üppigen Mahl, das sie nicht essen können, und verquicken die Andeutung von unmäßiger Gier mit der Angst vor Hunger. Das kopflose Mahl ist albtraumhaft, aber auch, wie Shonibare selbst bemerkt, surreal lustig. Die Idee, über Angst zu lachen, ist weitverbreitet, von der Bibel bis zu heutigen Achtsamkeitsübungen. Humor eignet sich, um wirksam tief sitzende Ängste zu zerstreuen. Shonibares Werk verkompliziert das ikonische Bild des *Abendmahls* – mit Jesus, der sich vor dem Tod fürchtet, und Judas, der das fürchtet, was er bald tun wird –, um Fragen über die Beziehung zwischen Gier und Terror, Reichtum und Armut, Afrika und Europa aufzuwerfen. Es ermuntert seine Betrachter, sich der Komplexität, ihrer eigenen Form von Angst zu stellen, anstatt einfache Antworten zu suchen.

Abendmahl (Nach Leonardo)
2013 • 13 lebensgroße Mannequins, Dutch Wax (bedruckte Baumwollstoffe aus den Niederlanden),
Reproduktionen von Holztisch und -stühlen, Silberbesteck und -vasen, antiken und reproduzierten Gläsern und
Geschirr, Lebensmittel aus Glasfaser und Kunstharz • 158 x 742 x 260 cm • Privatsammlung

Louise Bourgeois *»Ein Künstler kann Dinge zeigen, die andere Leute sich nicht wagen auszudrücken.«*

Von Paris nach New York

Louise Bourgeois (1911–2010), berühmt für große Skulpturen und Installationen, die von ihren persönlichen Erfahrungen – speziell der Untreue ihres Vaters gegenüber ihrer Mutter – inspiriert waren, befasste sich mit Themen wie dem Unbewussten, Identität, Sexualität, Eifersucht, Betrug und Angst. Geboren in Paris, half sie schon in jungen Jahren in der elterlichen Galerie und Werkstatt für historische Stoffe mit. Sie studierte zunächst Mathematik, nahm jedoch nach dem frühen Tod ihrer Mutter ein Kunststudium auf. 1938 stellte sie beim Salon d'Automne aus und heiratete den Kunsthistoriker Robert Goldwater (1907–1973), mit dem sie nach New York zog. Dort trat sie der Art Students League bei, reiste nach Italien, wurde amerikanische Staatsbürgerin und begann, mit Materialien zu experimentieren. Der Ruhm kam erst spät; mit einundsiebzig Jahren widmete das MoMA ihr eine große Retrospektive.

Mehrdeutig und beunruhigend

Bourgeois nannte einige ihrer Werke »Cells« (Zellen), womit Behälter mit Erinnerungen, geschlossene Räume, Käfige oder Körperzellen gemeint sein können. Ab 1989 schuf sie mehrere *Zellen*, meist aus verschiedenen gefundenen Materialien, wie alten Türen und anderen Objekten. Die käfigartige Struktur besteht aus einem Drahtgeflecht, Eisenstangen, großen Glasscheiben und verschieden

großen Spiegeln. Die Spiegel erzeugen eine Vielzahl von Reflexionen und Perspektiven und enthüllen Aspekte des Äußeren und Inneren des Werks. Zwei zentrale Elemente sind ein schwerer Brocken unbearbeiteter Marmor, der sich an einigen Stellen auszubeulen scheint, und ein Paar »Augen« aus poliertem schwarzem Marmor. Diese Formen suggerieren Weiblichkeit, aber auch Voyeurismus und Überwachung. Insgesamt wirkt die Skulptur ambivalent beunruhigend.

Mut und Konfrontation

Dieses Kunstwerk demonstriert die Verbindung zwischen Kreativität und Bewusstsein sowohl für die Künstlerin als auch die Betrachter. Bourgeois' Ausflug in das Unbewusste vermittelt hier die psychologische Manifestation der Angst, indem die Gefühle der Unruhe und des Gefangenseins erkundet werden. Sie erfuhr zu verschiedenen Zeiten ihres Lebens Angst: während des 1. Weltkriegs und aufgrund der Krankheit ihrer Mutter und der Untreue ihres Vaters. Dieses scheinbar unheilvolle und beunruhigende Werk stimuliert eine tief liegende Angst. »Beim Schauen in einen Spiegel geht es tatsächlich darum, sich selbst anzuschauen und gegenüberzutreten.« Bourgeois bemühte sich zu beweisen, dass viele unserer Ängste unsere inneren, oft verzerrten Meinungen und Vorstellungen widerspiegeln.

Zelle (Augen und Spiegel)
1989–93 • Stahl, Kalkstein und Glas • 236,2 x 210,8 x 218,4 cm
Tate Modern, London, Großbritannien

Angst
bezwingen

Winifred Knights »*Es ist soweit gekommen, dass ich kein Flugzeug über meinen Kopf fliegen lassen kann, ohne dass mir schrecklich schlecht und zittrig wird.*«

Frauenrechte

Winifred Knights (1899–1947), die in Streatham im Süden Londons geboren wurde, begann während des 1. Weltkriegs, Kunst an der Slade School zu studieren. 1917 erlitt sie ein Trauma, als sie von der Straßenbahn aus Zeugin einer riesigen TNT-Explosion in einer Munitionsfabrik in Silvertown im Osten Londons wurde, bei der 73 Arbeiter getötet und weitere 400 verletzt wurden. Ihre Ängste wurden durch die Zeppelin-Angriffe über London verstärkt; im September 1916 fielen allein auf Streatham mehr als 30 Bomben. Sie zog zu ihren Cousins auf deren Farm in Worcestershire. Dort wurde sie von ihrer Tante Millicent inspiriert, die für die Rechte von Frauen kämpfte. 1918 kehrte sie nach London zurück und gewann die Slade Summer Composition Competition. 1920 wurde ihr für *The Deluge* von der British School in Rom das prestigeträchtige Stipendium in Decorative Painting gewährt. Mit nur achtundvierzig Jahren starb sie an einem Hirntumor.

Die große Flut

Für das Rom-Stipendium sollten Studenten eine Szene aus der Großen Flut malen, in der, wie die Bibel berichtet, »Alles, was Odem des Lebens hatte … starb.« (Genesis 7:22). Das Werk, ausgeführt in Öl oder Tempera, musste 1,8 × 1,5 m groß sein und innerhalb von acht Wochen fertiggestellt werden. Knights vereinfachte ihren ersten Entwurf und fügte

Menschen ein, die vor den steigenden Wassern auf höheres Gelände zu fliehen versuchen. Noahs Arche steht im Hintergrund. Knights' stand für die Figur mit dem Baby Modell, ihr damaliger Partner Arnold Mason für zwei der männlichen Figuren. Knights malte sich selbst als die Frau im schwarzen Rock im Vordergrund. Der Hintergrund war an den Clapham Common angelehnt.

Der Angst begegnet

The Deluge zeigt normale Menschen, die in Todesangst fliehen – wie Knights selbst nach der Silvertown-Explosion, als sie auf das Land flüchtete. Das Bild kann daher als Metapher für den Krieg und andere furchterregende Ereignisse angesehen werden. Es zeigt Menschen an verschiedenen Punkten ihrer Flucht – zuerst fliehen sie mit erhobenen Händen zum Himmel um Hilfe, dann eilen sie den anderen hinterher, blicken zurück auf die Wand aus Wasser und versuchen schließlich, nach oben in Sicherheit zu kriechen. Sie sind zwischen den schrecklichen Geschehnissen der Gegenwart und der ominösen Zukunft gefangen. Knights malte, um sich vom Nachgrübeln über ihre Angst und Panik abzulenken. Ihre Gemälde könnten Angstgefühle auslösen, doch durch die Position als Beobachter statt als Betroffener könnten sie dem Betrachter auch helfen, sich von seinen Sorgen abzulenken.

The Deluge
1920 • Öl auf Leinwand • 153 x 183 cm • Tate Britain, London, Großbritannien

Helene Schjerfbeck »*Mein Porträt wird einen toten Ausdruck haben; dadurch enthüllt der Maler die Seele.*«

Wunderkind

Die überaus talentierte Helene Schjerfbeck (1862–1946) trat mit nur elf Jahren in die finnische Kunstakademie in Helsinki ein. 1880 erhielt sie ein Stipendium und reiste nach Paris, wo sie bei dem Maler Léon Bonnat (1833–1922) studierte. 1881 trat sie in die Académie Colarossi in Paris ein und ging mit einem weiteren Stipendium nach Meudon und dann nach Pont-Aven, in ein kleines Fischerdorf in der Bretagne mit einer Künstlergemeinschaft. Sie zog weiter herum, malte und verdiente Geld mit Ausstellungen ihrer Arbeit und dem Illustrieren von Büchern. Während des 2. Weltkriegs, als sie bereits unheilbar an Krebs erkrankt war (der etwa 1943 erstmals diagnostiziert worden war), zog sie nach Schweden und schuf in ihren letzten beiden Lebensjahren mehr als 20 Selbstporträts, in denen die Veränderungen deutlich wurden, die Krankheit und Alter an ihrem Äußeren verursachten.

Zarte Zerbrechlichkeit

Als sie ihr Gesicht prüfte, um es im Bild festzuhalten, änderte sich Schjerfbecks Malstil. Hier stellt sie sich geisterhaft dar: Die Umrisse ihres Kopfes lösen sich auf und verschwinden in den Schatten. Ihr linkes Auge ist starr und schreckgeweitet, ihr klaffender Mund drückt Entsetzen aus. Nur der rote Fleck auf ihrer Unterlippe vermittelt ein Gefühl von Leben und Wärme. Sie trat dem Tod entgegen, und der Mangel an Details in diesem Bild spricht von einer rohen, zarten Zerbrechlichkeit. Sie mag sich mit ihrem bevorstehenden Tod abgefunden haben, vermittelt jedoch in diesem Gemälde Angst oder Schrecken vor der Vergänglichkeit des Lebens.

Mentale Härte

Während ihrer letzten Krankheit lernte Schjerfbeck, sich ihren Ängsten zu stellen und entwickelte eine mentale Stärke, die sich in diesem Selbstporträt in der Akzeptanz des Unausweichlichen zeigt. Man könnte annehmen, dass sie sich vor der Zukunft fürchtet, doch statt sich von ihrer Angst überwältigen zu lassen, reagierte sie mit Neugier. Sie erforschte ihr sich veränderndes Äußeres mit Bedacht, wie sie es immer getan hatte. Man könnte dieses Bild als Einladung an den Betrachter verstehen, sein eigenes Verhalten und Denken zu verändern und damit dem Beispiel der Künstlerin zu folgen. Auch wenn man es nicht schafft, alle Ängste abzulegen, ist es möglich, genau wie Schjerfbeck Mut zu schöpfen und sich seinen Ängsten zu stellen, ob in kreativer Übung oder indem man sich vergleichbare Kunstwerke sucht.

Rotgesprenkeltes Selbstbildnis
1944 • Öl auf Leinwand • 45 x 37 cm • Kunstmuseum Ateneum, Helsinki, Finnland

Francisco de Goya »*Ich habe keine Angst vor Hexen, Kobolden, Geistern oder Schurken.*«

Goyas Emotionen

Trotz seiner modernen (sogar subversiven) Ideen über soziale Ungleichheit wurde Francisco de Goya (1746–1828) Hofmaler König Karls IV. und galt in der Folge als führender Maler und Grafiker in Spanien. In der Nähe von Saragossa geboren, besuchte er 1771 Italien und ließ sich dann in Madrid nieder. Seine Werke waren zunächst im Rokoko-Stil, neigten später jedoch zum Stil der Romantik, wie seine Serie *Die Schrecken des Krieges* (1810–14), mit der er zu einem der ersten Künstler wurde, die ihre Emotionen über ihre Kunst ausdrückten, statt nur über das Motiv. 1792, nach einer nicht näher bekannten schweren Krankheit, verlor er sein Gehör. Als die Krankheit 1819 erneut auftrat, schuf er die sogenannten »schwarzen« Bilder an den Wänden seines Hauses, die seine Angst und Sorge um Spanien und um sich selbst widerspiegelten. 1824 zog er nach Frankreich. Nach einem Schlaganfall blieb er teilweise gelähmt, sein nachlassendes Augenlicht erschwerte seine Arbeit noch zusätzlich.

Verstörende Ideen

Dieses Gemälde stellt den römischen Gott Saturn dar, der seine Söhne verschlingt, um zu verhindern, dass sie ihn entmachten. Es ist eines der verstörendsten Werke, die Goya für sein Landhaus Quinta del Sordo malte. Zu den »schwarzen« Bildern gehörten außerdem ein Hexensabbat und ein Porträt eines Mädchens, vielleicht seine Geliebte Leocadia Weiss, das in Trauerkleidung an einem Grabstein lehnt. Es ist zwar nicht bestätigt, doch Goya könnte dies aus Angst vor seinem Tod oder vor Wahnsinn gemalt haben. Möglicherweise litt er an Depressionen, während die Napoleonischen Kriege Spanien in Aufruhr stürzten. Andererseits könnten sie seine Angst vor der Welt ausdrücken sowie davor, seine Position als größter spanischer Künstler seiner Zeit einzubüßen.

Erkennen, was wichtig ist

Dieses Gemälde scheint beinahe ein Bild der Angst selbst zu sein. Es zeigt, wie Saturn durch seine Angst zum Monster wird – seine Augen treten hervor und sein Gesicht ist verzerrt, während er den zerfleischten Körper seines Sohnes gepackt hält. Kopf und Arm hat er bereits verschlungen und ist nun im Begriff, einen weiteren Bissen zu tun. Er taucht aus der Dunkelheit auf, sein Körper ist dramatisch von der Seite beleuchtet. Das Bild verdeutlicht das schreckliche Potenzial der Angst, uns zu schwächen und die Dunkelheit hervorzurufen, die unter der zivilisierten Decke lauert. Die Angst scheint außer Kontrolle und zur letzten Konsequenz getrieben; doch in ihrer Reflexion als des Künstlers eigener Angst um das Schwinden von Gesundheit und Status demonstriert das Bild, dass Kunst uns helfen kann, unsere Ängste produktiv zu nutzen und zu erkennen, was für uns wichtig ist – was vielleicht zu schwierig in Worte zu fassen ist.

Saturn

1820–23 • Wandbild in Mischtechnik, auf Leinwand übertragen • 143,5 x 81,4 cm
Museo del Prado, Madrid, Spanien

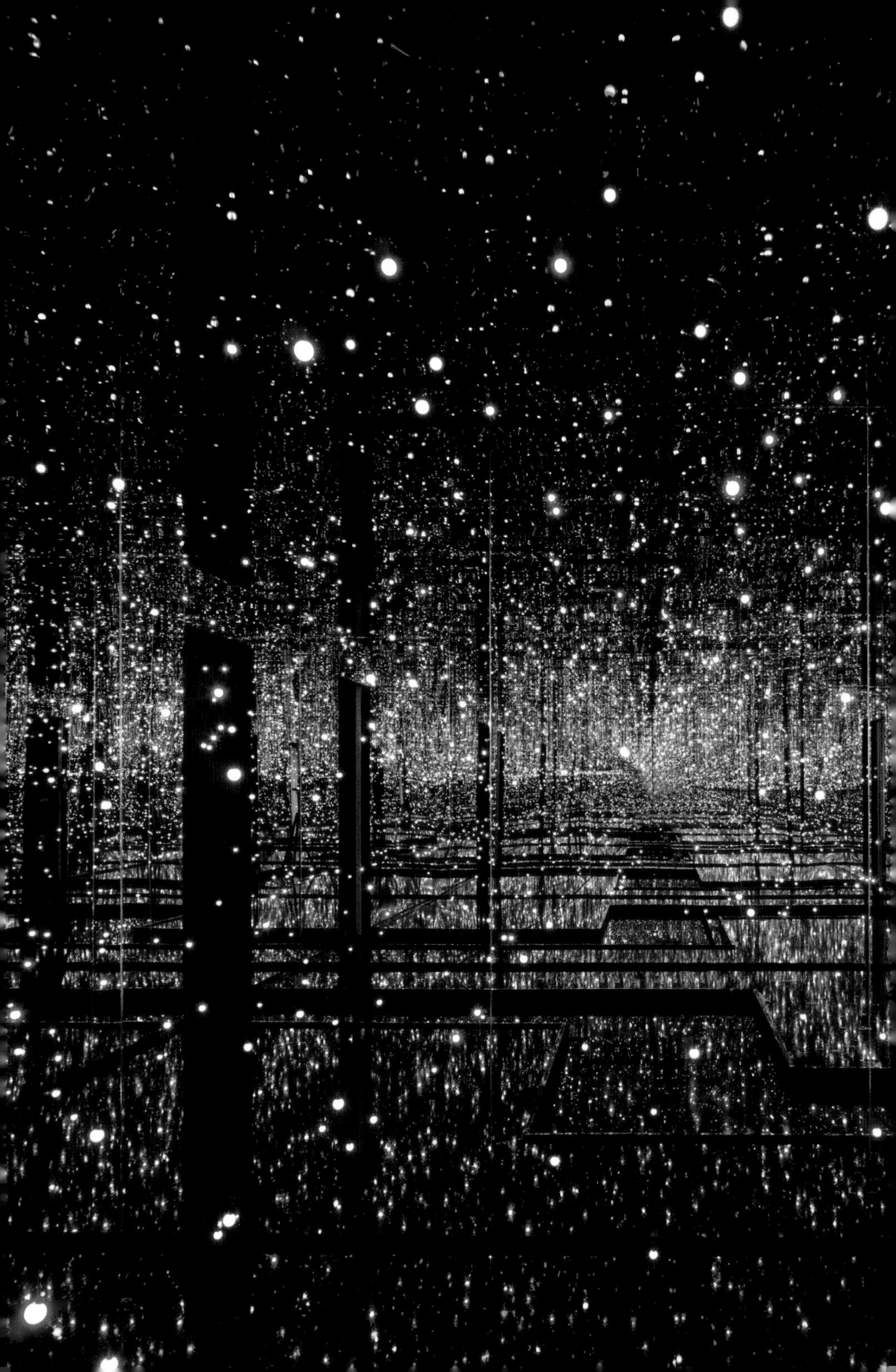

Furcht begegnen

Der amerikanische Neurowissenschaftler und Autor Joseph LeDoux nannte Furcht »den Preis, den wir für eine Fähigkeit bezahlen, uns die Zukunft vorzustellen«. Diese Gefühle gedeihen bei einer aktiven Einbildungskraft, weshalb vermutlich so viele Künstler darunter gelitten haben – entweder aufgrund von Ereignissen oder Situationen in ihrem persönlichen Leben oder wegen ihrer normalen Denkprozesse. Furcht bedeutet oft, dass man sich um künftige Ereignisse sorgt, die niemals eintreten werden, oder sich negative Geschehnisse vorstellt, die vorkommen könnten, wie Scheitern, Ablehnung, Verlust oder Enttäuschung. Wie einige Künstler jedoch entdeckt haben, kann die Kunst sowohl befreiend als auch therapeutisch sein und dabei helfen, diese Art von Pein zu lindern oder zu überwinden. Indem man selbst in kreative Prozesse eintaucht oder Kunstwerke erkundet, konzentriert man sich auf das Jetzt. Die in diesem Kapitel behandelten Künstler nutzten die Kunst, um mit ihrer Furcht klarzukommen oder die Gefühle widerzuspiegeln, die sie begleiten. Manchmal versuchten sie sogar, diese Gefühle im Betrachter hervorzurufen. Auch wenn sie sicher nicht die einzigen Künstler sind, die dies getan haben, zeigen sie ein breites Spektrum an Herangehensweisen, und das könnte auch anderen nützen.

Infinity Mirrored Room (Detail) von
Yayoi Kusama; siehe Seite 51.

Claude Monet »*Ich entdecke jeden Tag noch schönere Dinge.*«

Monets Impressionen

Claude Monet (1840–1926), oft »Vater des Impressionismus« genannt, schuf farbenfrohe Gemälde mit gebrochenen Pinselstrichen, die flüchtige Augenblicke, Wettererscheinungen und Licht festhalten. Geboren in Paris und aufgewachsen in Le Havre, wurde er dort schon als Jugendlicher von dem Landschaftsmaler Eugène Boudin (1824–1898) ermuntert, im Freien zu malen. 1859 begann er ein Kunststudium in Paris, wo er andere Künstler traf, die später zu den Impressionisten zählten. Während des Deutsch-Französischen Kriegs von 1870–71 blieb er in London. 1874 kehrte er nach Paris zurück, wo er an den meisten impressionistischen Ausstellungen teilnahm. 1883 erwarb er ein Grundstück in Giverny, nordwestlich von Paris. Dort legte er einen Garten und einen großen Seerosenteich an, die für den Rest seines Lebens seine Hauptmotive bilden sollten.

Die Verwandlung des Gartens

Als finanzielle Probleme in Frankreich die Gesellschaft trafen, zog Monet sich zurück und begann das zu malen, was ihn beruhigte: Frieden, Schönheit und Ruhe seines Gartens. Gärten hatten ihm immer eine Zuflucht vor der Welt geboten. In den 1870er-Jahren malte er die Gärten seiner gemieteten Häuser in Argenteuil und Vétheuil, ab 1883 wurde sein Garten in Giverny seine Leidenschaft. 1893 kaufte er ein benachbartes Stück Land und verwandelte es in einen Wassergarten. Alles wurde so platziert oder gepflanzt, dass es harmonische Ansichten ergab. Wasser, Vegetation und gedämpfte Farben schufen eine stille, meditative Atmosphäre. Er malte zu unterschiedlichen Jahres- und Tageszeiten. Angeregt durch japanische *Ukiyo-e*-Drucke, errichtete er über seinem Teich eine japanische Brücke.

Pause und Neustart

Monet profitierte von den therapeutischen Aspekten seines Teiches und seiner Malerei. Er malte ihn bei jedem Wetter. Ab 1899 wurde sein Teich zu seinem Hauptmotiv, und er half ihm durch viele Jahre persönlicher Furcht, die nun folgten. Anfang des 20. Jahrhunderts entwickelte er eine Augenerkrankung; 1911 starb seine Frau Alice, 1914 gefolgt von seinem ältesten Sohn Jean. Während des Krieges weigerte er sich, sein Haus zu verlassen, obwohl ein Teil seiner Familie floh. Da eine Eisenbahnlinie seinen Garten durchschnitt, konnte er die Militärzüge hören – genau wie das Kanonenfeuer der unweit verlaufenden Front. Doch bei der Arbeit fühlte er großen Frieden um sich herum, und das wiederholte Malen des immer selben Motivs trug sicher zu dieser Ruhe bei. Es gelang ihm, neu anzufangen und seine Furcht zu überwinden. Ein Betrachter, der die Details dieser Kunstwerke studiert, könnte eine vergleichbar beruhigende Erfahrung machen.

Die japanische Brücke

1899 • Öl auf Leinwand • 81,3 x 101,6 cm • National Gallery of Art, Washington, DC, USA

Furcht
begegnen

Frida Kahlo »*Füße, wozu brauche ich sie, wenn ich Flügel habe, um zu fliegen.*«

Kahlos Leiden

Frida Kahlo (1907–1954) litt zeitlebens an mentalen und körperlichen Schmerzen, was zu ihrem Alkoholismus beigetragen haben mag. Mit sechs Jahren erkrankte sie an Kinderlähmung, wegen der sie permanent hinkte. Seitdem trug sie lange Kleider. Mit achtzehn war sie in einen schrecklichen Busunfall verwickelt. Eine Stahlstange bohrte sich durch ihr Becken, verletzte ihre Gebärmutter und ihre Wirbelsäule. Ab dieser Zeit litt sie unter chronischen Schmerzen und musste sich vielen Operationen unterziehen. Einige Jahre nach ihrem Unfall heiratete sie den Künstler Diego Rivera (1886–1957). Es war eine leidenschaftliche, aber schwierige Beziehung. Sie hatte Fehlgeburten und Abtreibungen, und sowohl sie als auch Rivera hatten Affären. 1939 betrog er sie mit ihrer jüngeren Schwester, worauf sich Kahlo von ihm scheiden ließ. Durch alle Probleme hindurch malte sie. »Malen«, schrieb sie, »vervollständigt mein Leben«.

Ein symbolisches Selbstbildnis

Kahlo malte dieses Porträt, während sie von Rivera geschieden war (sie heirateten nach einem Jahr erneut). Vor einem Hintergrund aus großen Blättern schaut sie uns an. Eine Kette aus Dornen, gehalten von einem schwarzen Affen, schneidet in ihre Haut. Ein toter schwarzer Kolibri hängt mit ausgestreckten Flügeln von den Dornen. In der mexikanischen Volkstradition glaubte man,

tote Kolibris würden dem Träger Glück bringen, er steht also für Hoffnung. Die Kette und ihr Blut erinnern an die Dornenkrone Christi. Der Affe war ein Geschenk von Rivera und repräsentiert die Kinder, die Kahlo verloren hatte und nach denen sie sich sehnte. Sie schrieb: »Ich bin kaputt. Aber ich bin glücklich, solange ich malen kann.« Die schwarze Katze symbolisiert ihre Depression, und die Schmetterlinge in ihrem Haar stehen für die Auferstehung Christi – ein Zeichen, dass auch sie wieder auferstehen würde.

Erstarkung

Nach Krankheit, Unfall und einer stürmischen Ehe wundert es kaum, dass Kahlo unter Furcht und Depressionen litt. Von Rivera inspiriert malte sie und erkundete intime Aspekte ihres Selbst in ihren schwierigsten Zeiten. Es kann unangenehm sein, ihre Bilder zu betrachten, doch in ihrer brutalen Ehrlichkeit enthüllen sie ihr Leiden. Sie malte, um sich von ihrem körperlichen und emotionalen Schmerz zu lösen und ihre Entschlossenheit und Ausdauer zu stärken. Kahlos Kunst wurde von Psychologen verwendet, um Frauen zu helfen, ihren Schmerz und die Auswirkungen der Furcht zu visualisieren und über eigene emotionale und körperliche Traumata zu reden. Diese Ärzte glauben, dass die Frauen wieder erstarken, wenn sie Kunst verwenden, um über schwierige Erfahrungen zu sprechen.

Selbstbildnis mit Dornenhalskette und Kolibri

1940 • Öl auf Leinwand • 61 x 47 cm • Harry Ransom Center, Austin, Texas, USA

Jackson Pollock *»Malen ist Selbstfindung. Jeder gute Maler malt, was er ist.«*

Action Painting

Jackson Pollock (1912–1956) wuchs in Wyoming und Kalifornien auf. Mit achtzehn zog er nach New York City und studierte bei dem Maler Thomas Hart Benton (1889–1975). Er besuchte Museen und wurde von Picasso, den mexikanischen Wandmalern, Joan Miró und den Sandbildern der amerikanischen Ureinwohner inspiriert. Von 1938 bis 1942 arbeitete er für das Work Projects Administration Federal Art Project, während er sich gleichzeitig wegen seines Alkoholismus und seiner Angstzustände einer Jungschen Therapie unterzog. Jungsche Konzepte kamen später auch in seinen Gemälden zum Ausdruck. Ab 1947 entwickelte er das sogenannte »Action-Painting«. 1956 war die Beziehung zu seiner Frau, der Künstlerin Lee Krasner (1908–1984), zerbrochen; im selben Jahr starb er bei einem Verkehrsunfall.

Psychischer Automatismus

1945 zogen Pollock und Krasner nach East Hampton auf Long Island, wo er mit dem Malen seiner riesigen abstrakten Werke begann. Er legte die Leinwand auf den Boden, verwendete Fassadenfarbe und nutzte die surrealistische Methode des »psychischen Automatismus«, erlaubte also seinem Unterbewusstsein, auf fast schon ritualistische Weise die Kontrolle zu übernehmen. Mit Stöcken, Messern und Pinseln goss, tropfte, kleckerte und spritzte er die Farbe von allen Seiten auf die Leinwand, sodass Muster und Stränge aus Farben und Texturen mit dicken und dünnen rhythmischen Linien entstanden. Auf diese Weise betonte er den körperlichen Akt des Malens als wesentlichen Teil des fertigen Werks. Er »signierte« das Bild in den oberen Ecken mit seinen Handabdrücken.

Jungsche Psychologie

Der emotional instabile Pollock focht seine inneren Kämpfe in Besäufnissen aus, die meist gewalttätig endeten. Von 1939 bis 1940 war er bei einem Jungschen Psychologen in Behandlung. Carl Gustav Jung (1875–1961) trennte die Person oder das Selbstbild, das der Welt gezeigt wurde, von der Schattenseite, der unbekannten, instinktiven und irrationalen Seite der Persönlichkeit, die oft eine Furcht verbirgt. Er glaubte außerdem an das persönliche Unbewusste, das individuelle Erinnerungen und Ideen enthält, und das kollektive Unbewusste, das Erinnerungen und Ideen enthält, die von allen geteilt werden. Jung glaubte, dass wir durch Zugriff auf diese Dinge unterdrückte Gedanken hervorholen und die Quelle der Furcht sowie die nötige Strategie, um sie zu heilen, entdecken könnten. Deshalb verwendete Pollock den Automatismus beim Malen. Wenn wir unser bewusstes Selbst gleichermaßen in einem Kunstwerk »verlieren«, tauchen vielleicht unbewusste Elemente auf, die uns den Zugang zu darunterliegenden Bedeutungen bieten und uns die Heilung unserer eigenen Furcht erlauben.

Number 1, 1950 (Lavender Mist)
1950 • Öl, Lack und Aluminium auf Leinwand • 221 x 299,7 cm
National Gallery of Art, Washington, DC, USA

Furcht begegnen

Gustav Klimt »Wer über mich als Künstler etwas wissen will, der soll meine Bilder aufmerksam betrachten und daraus zu erkennen suchen, was ich bin und was ich will.«

Die Liebe der Schönheit

Der Wiener Künstler Gustav Klimt (1862–1918) malte zunächst große Werke für öffentliche Gebäude, entwickelte dann aber einen ornamentalen, sinnlichen Stil, der Elemente des Symbolismus mit den fließenden Konturen des Jugendstils und seinem eigenen Sinn für die Schönheit verschmolz. Nach dem Studium an der Kunstgewerbeschule in Wien malte er realistische Gemälde, brach aber schon bald mit der offiziellen Künstlervereinigung und wurde einer der Gründer der Wiener Secession, einer Gruppe aus Künstlern und Architekten, die in verschiedenen Stilen arbeiteten, ihre eigenen Ausstellungen organisierten und ihre eigene progressive Zeitschrift, *Ver Sacrum* (Der heilige Frühling) herausgaben. Ab 1898 arbeitete Klimt in einem Stil, der als seine Goldene Periode bekannt ist, als er – der sich für byzantinische Mosaiken interessierte – in seinen Gemälden Blattgold einsetzte.

Italienisches Licht

1913 brach Klimt mit seiner Gewohnheit, die Sommermonate am Attersee in den Österreichischen Alpen zu verbringen, und reiste stattdessen an den Gardasee in Italien. Die Reise in ein anderes Land und sein ganzer Besuch hinterließen tiefen Eindruck bei ihm. Er malte diese Ansicht vom Boot aus und hielt das klare Licht und das Leben vor Ort fest. Er füllte das von ihm für Landschaften bevorzugte quadratische Format mit dem See, Gebäuden und Vegetation. Nur in der obersten Ecke ist ein bisschen Himmel zu sehen, während ein Fünftel der Leinwand das ruhige Wasser des Sees zeigt. Das erhebend wirkende Bild ist gefüllt mit Licht, sanften Farben und abgewinkelten Formen über dem schimmernden Wasser.

Die Spitze des Eisberges

Die österreichische Gesellschaft war eher konservativ, brachte aber dennoch einige originelle Denker hervor. Zu ihnen gehörte der »Vater der Psychoanalyse«, Sigmund Freud (1856–1939), dessen Vorstellung einer »Mimese der Ideen« erklärte, wie Kunstwerke einen Austausch von – körperlicher und geistiger – Energie mit den Betrachtern erreichen konnten. Er behauptete, dass die Kunst empathieartige Gefühle auslöse und der menschliche Geist in zwei wesentliche Teile geteilt sei: das Bewusste und das Unbewusste. Er verglich dies mit einem Eisberg; die über dem Wasser sichtbare Spitze sei der bewusste Geist, während die Masse des Eises unter dem Wasser der unbewusste Geist wäre. Freud inspirierte Klimt, mit seiner Kunst zu versuchen, in den bewussten und unbewussten Geist der Betrachter vorzudringen. Diese fesselnde Komposition regt den Betrachter an, sich an diesem Ort vorzustellen, dessen sanfte Farben und schimmerndes Wasser Ruhe verströmen und Raum für innere Reflexionen schaffen, die seine Furcht besänftigen können.

Malcesine am Gardasee
1913 • Öl auf Leinwand • 110 x 110 cm
zerstört bei einem Brand im Schloss Immendorf, Österreich, 1945

Yayoi Kusama »Ich kämpfe jeden Tag gegen Schmerz, Furcht und Angst, und die einzige Methode, die meine Krankheit lindert, ist, immer weiter Kunst zu erschaffen.«

Yayois Visionen

Die 1929 im japanischen Matsumoto geborene Yayoi Kusama gewann in den 1960er-Jahren in New York internationale Beachtung für ihre kreative Praxis, die Installationen, Gemälde, Skulpturen, Modedesigns und Schriften umfasste. Als sie mit etwa zehn Jahren zum ersten Mal visuelle und auditive Halluzinationen erlebte, begann sie zu malen. In Kyoto studierte sie die traditionelle japanische *Nihonga*-Malerei, bevor sie 1958 nach New York City zog. Dort traf sie auf Künstler wie Andy Warhol (1928–1987). Ins Licht der Öffentlichkeit rückte sie mit einer Reihe von »Happenings«, in denen nackte Teilnehmer mit bunten Punkten bemalt wurden. Nach ihrer Rückkehr nach Japan 1973 wurde sie besonders für ihre Installationen bekannt, die den Betrachter mit Spiegeln und Lichteffekten bewusst in die Irre führen.

Unendlichkeit und weiter

Kusama erkundet die Idee der Unendlichkeit. Im gedämpften Licht dieser Installation ist unklar, wo der Weltraum beginnt oder endet, was für den Zuschauer eine Art von Halluzination erzeugt. Kusama platzierte in dieser Konstruktion Spiegel und Lichter sorgfältig, sodass sie verwirrende Illusionen erzeugen. Besucher betreten die Installation durch einen verspiegelten Gang. Wände und Decke des Raums sind ebenfalls verspiegelt und auf dem Boden neben dem Gang befindet sich ein flaches Wasserbecken. Von der Decke hängen hunderte von kleinen LEDs, die in unterschiedlichen Lichtern nach einem programmierten Ablauf aufleuchten und erlöschen. Diese Lichtpunkte reflektieren sich in den Spiegeln und dem Wasser.

Eine sich ändernde Wahrnehmung

Kusama hat betont, wie wichtig für sie das individuelle Erlebnis der Betrachter in ihren Installationen ist. In ihrer ganzen Laufbahn war sie von der Idee der Ewigkeit fasziniert, die in ihrer Kindheit entstand, als sie an Furcht und halluzinatorischen Episoden litt, die oft in Form von Netzen oder Flecken auftraten, die sich vor ihrem geistigen Auge vervielfältigten. Diese Halluzinationen wurden die Grundlage vieler ihrer Kunstwerke. *Infinity Mirrored Room* ist beispielhaft für ihre Erforschung von Wiederholung und Endlosigkeit. Kunst, vor allem ein immersives, interaktives Werk wie dieses, ändert auch die Wahrnehmung einer Person von ihrer eigenen Welt, was Kusama anstrebte, als sie ihre »Infinity-Räume« schuf. Nachdem sie ihr Leben lang Therapien erlebt hatte, verstand sie besonders gut, wie sich die Ansichten und Erfahrungen der Betrachter durch ihre Kunst ändern lassen. Wenn ein Betrachter in das Werk eingetaucht ist, ändern sich seine Haltung und sein emotionaler Zustand. Die Folge sind oft eine ruhige und positive Einstellung.

Infinity Mirrored Room – Gefüllt mit der Brillanz des Lebens
2011/2017 • Spiegelglas, Holz, Aluminium, Plastik, Keramik und LEDs
295,5 x 622,4 x 622,4 cm • Tate Modern, London, Großbritannien

Camille Claudel »*Immer fehlt etwas, das mich quält.*«

Claudels Leidenswege

Die französische Künstlerin Camille Claudel (1864–1943), bekannt für ihre lebensnahen und gefühlsgeladenen Skulpturen aus Bronze und Marmor, modellierte schon im Alter von zwölf mit Ton. Der Bildhauer Alfred Boucher (1850–1934) empfahl sie der Académie Colarossi, an der – was ungewöhnlich war – Frauen willkommen waren und sogar männliche Akte malen durften. Claudel teilte sich mit drei anderen Bildhauerinnen ein Atelier. Von Boucher erhielten sie regelmäßig Hinweise zu ihren Arbeiten. Als dieser 1883 nach Italien ging, übernahm Auguste Rodin seine Rolle. Claudel wurde Rodins Assistentin, Muse und Geliebte. Als er sich weigerte, seine langjährige Beziehung zu Rose Beuret abzubrechen, beendete Claudel die Affäre. Sie erkrankte psychisch und wurde von ihrer Familie in eine psychiatrische Anstalt eingewiesen.

Römische Mythologie

Zwischen 1886 und 1888 schuf Claudel zwei Terrakotta- sowie eine Gipsfassung dieser Skulptur. Sie sind als *Sakuntala* bekannt, nach einer Geschichte aus dem *Mahabharata* über das Wiedersehen von Sakuntala und Dushyanta nach einer langen Trennung. Die Gipsversion wurde beim Salon des Artistes Français 1888 ausgezeichnet. Fast 20 Jahre später erhielt sie den Auftrag für eine etwas kleinere Marmorversion mit dem Titel *Vertumnus und Pomona* nach einem altrömischen Mythos:

Die Baumnymphe Pomona lehnt die Avancen von Vertumnus ab, verliebt sich aber schließlich doch in ihn. In Claudels emotionaler Darstellung des männlichen und weiblichen Akts ist die Liebe geistige Macht, aber auch körperliche Anziehungskraft, die die Liebenden sowohl verletzlich als auch gleichgestellt zeigt.

Widerstandskraft und Entschlossenheit

Rodin und Claudel waren fast ein Jahrzehnt lang ein Paar: »Meine Camille, sei versichert, dass ich für keine andere Frau Liebe empfinde und meine Seele dir gehört«, schrieb Rodin 1886. Claudels Familie missbilligte die Affäre und sie wurde finanziell von Rodin abhängig. Dennoch fasste sie Mut und verließ ihn – und ihr ganzes Leben zerfiel. Trotz seiner Empfehlungen fand sie kaum Arbeit. Ihre Kunst schien seiner zu ähnlich und war zu sexuell für eine Frau. Sie entwickelte eine Paranoia und begann, ihre Werke zu zerstören. Furcht kann übermächtig werden und Verlust- und Trennungsgefühle hervorrufen. Claudel erlebte all dies. Diese ursprünglich *L'Abandon* (*Verlassen*) genannte Skulptur, zeigt zwei wieder vereinte Liebende. Betrogen von ihrem Geliebten und ihrer Familie schuf Claudel ihr Werk durch ihre eigene Widerstandskraft und Entschlossenheit. Sie brachte ihr eigenes Erleben in die Geschichte von Sakuntala ein, so wie der Betrachter seine Furcht in das Studium ihrer Skulptur einbringen kann.

***Sakuntala* (oder *Vertumnus und Pomona*)**
1905 • Marmor • 91 x 80,6 x 41,8 cm • Musée Rodin, Paris, Frankreich

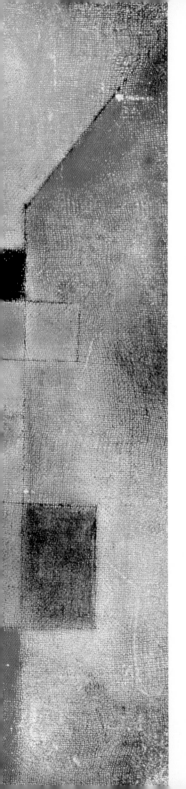

Stress
abbauen

Stress ist etwas, das den Alltag beeinflusst. Er betrifft jeden anders und jeder Mensch geht auf andere Weise mit ihm um. Als Picasso beobachtete, dass »Kunst den Staub des alltäglichen Lebens von der Seele wäscht«, zeigte er sein Verständnis für die Tatsache, dass Kunst ein Stresskiller sein kann.

Die Forschung hat herausgefunden, dass es überaus heilende Wirkungen für Geist und Körper haben und somit Stress vermindern kann, wenn man sich an Kunst erfreut oder sogar selbst welche erschafft. Kunst, die irgendwo zwischen einer Übung, die mit dem Körper arbeitet, und einer Meditation, die den Geist reinigt, liegt, unterstützt Heilungsprozesse. Indem sie die Betrachter dazu bringt, sich mit ihren Gedanken und ihrer Umgebung zu beschäftigen, können diese ihre Perspektive – auf fast mystische Art – zurücksetzen. Viele Künstler, darunter Agnes Martin, Jean-Michel Basquiat, Paul Klee, Georgia O'Keeffe und Joan Miró, haben ihren eigenen Stress gelindert und mittels unterschiedlicher Methoden und künstlerischer Herangehensweisen geholfen, auch den Stress ihrer Betrachter abzubauen. Dieses Kapitel untersucht, wie sie das getan haben, und wie man selbst Kunst nutzen kann, um mit Stress klarzukommen.

Roter Ballon (Detail) von Paul Klee; siehe Seite 65.

Georgia O'Keeffe »Ich hatte jeden Augenblick meines Lebens große Angst – und ich habe mich niemals von etwas abhalten lassen, das ich tun wollte.«

Amerikanischer Modernismus

Die als Pionierin der amerikanischen Moderne und der feministischen Kunst gepriesene Georgia O'Keeffe (1887–1986) schuf mehr als 2.000 Kunstwerke. Sie wurde in Wisconsin geboren, studierte an der Art Students League, trat der National Woman's Party bei, die für das Wahlrecht der Frauen kämpfte, und wurde die erste Frau, der das Museum of Modern Art in New York eine Retrospektive widmete. Ihre Zeichnungen erregten die Aufmerksamkeit des New Yorker Fotografen und Galeristen Alfred Stieglitz (1864–1946), der ihr wichtigster Förderer und später ihr Ehemann wurde. Ab Anfang der 1920er-Jahre schuf sie großformatige Bilder von Blumen und Wolkenkratzern. 1929 besuchte sie zum ersten Mal New Mexico, 20 Jahre später zog sie dauerhaft dorthin und malte die Landschaften, den Himmel und die natürlichen Formen, die sie dort vorfand. Sie erhielt viele Auszeichnungen und schuf immer weiter Kunst, obwohl im Alter ihr Sehvermögen nachließ.

Organische Formen

Dieses Gemälde, in dem Figürliches und Abstraktes verschmelzen, erinnert an die organischen Formen und Farben einer Blume. Auch wenn viele Beobachter, darunter auch O'Keeffes Ehemann, vermuteten, dass diese abstrakten Bilder Elemente der weiblichen Anatomie repräsentierten, stritt O'Keeffe dies stets ab. »Ich brachte euch dazu, euch Zeit zu nehmen, um genau anzuschauen, was ich sah, und wenn ihr euch die Zeit genommen habt, um meine Blume wirklich zu bemerken, dann habt ihr all eure Assoziationen … an meine Blume gehängt und über meine Blume geschrieben, als würde ich das denken und sehen, was ihr denkt und seht, und das mache ich nicht.« In der Kombination aus harten und weichen Linien, Farbverläufen und leuchtenden Farben mit einem Gefühl der Spannung an den beschnittenen Rändern entfaltet das Bild eine machtvolle Wirkung. Die übergroßen Details sind sowohl unerwartet als auch, wie manche sagen würden, mehrdeutig.

Farbe und Stimmung

Durch ihr Verständnis für die psychologische und emotionale Wirkung von Farbe erzeugt O'Keeffe hier ein Gefühl von Ruhe. Vor dem Malen dachte sie sorgfältig über ihre Palette und die Platzierung der Farben nach. Sie stellte »Farbkarten« her, eine Auswahl an Farben, die auf kleinen Papprechtecken angemischt wurden, die sie dann ausschnitt und arrangierte, um die verschiedenen Effekte zu sehen. Farbe, schrieb sie, wäre »eines der großartigsten Dinge auf der Welt, die das Leben lebenswert machen«. Das Studieren von Farben oder das Herstellen von Farbkarten kann überraschend hilfreich beim Beruhigen stressiger Gedanken sein, weil es »Raum« im Kopf schafft.

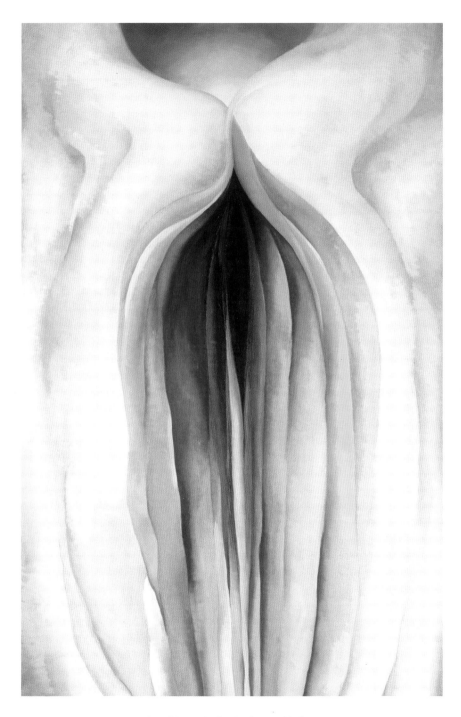

Grey Lines with Black, Blue and Yellow
1923 • Öl auf Leinwand • 121,9 x 76,2 cm • Museum of Fine Arts, Houston, Texas, USA

Stress abbauen

Jean-Michel Basquiat *»Ich denke nicht über Kunst nach, wenn ich arbeite. Ich denke über das Leben nach.«*

Figuren im Röntgenstil

Der für seinen gestischen Malstil bekannte Jean-Michel Basquiat (1960–1988) war Ende der 1970er-Jahre zunächst Teil eines Graffiti-Duos namens SAMO© – kurz für »Same Old Shit« – in Lower Manhattan. Geboren in Brooklyn, aber mit Vorfahren aus Haiti und Puerto Rico, wurde er berühmt, nachdem er seine Arbeiten neben verschiedenen etablierten Künstlern 1980 in der Times Square Show ausstellen konnte. Seine Gemälde verraten ihren Ursprung im Graffiti, gemischt mit Referenzen aus der Hoch- und Popkultur und Elementen aus der afrikanischen, karibischen, aztekischen und hispanischen Kunst. Mithilfe einer Vielzahl an Materialien, einschließlich Öl- und Acrylfarben, Wasserfarben, Kohle, Buntstiften und Ölkreiden schuf er Figuren im Röntgenstil und energiegeladene Zeichen.

Rohe Energie

Dieses Bild, dominiert von einer dunklen, wild dreinblickenden Figur vor einem goldenen und grauen, vielleicht urbanen Hintergrund, wirkt voll roher Energie. Linien, Kritzel und geometrischen Formen umgeben die Figur mit den blutunterlaufenen Augen und den abstehenden Haaren. Sie hält die Hände hoch – doch was passiert? Ist sie wütend? Verteidigt sie sich oder greift sie an? Ist das ein Heiligenschein? Ist dies ein Heiliger oder ein Krieger, Opfer oder Märtyrer? Das Gemälde ist bewusst mehrdeutig, zeigt aber auch Basquiats Vorstellung davon, wie er wahrgenommen wurde. Er malte es kurz nachdem er international anerkannt wurde, als ihm seine Identität als eine der wenigen Person of Color in der Kunstszene, die Prominentenstatus erreicht hatte, sehr bewusst wurde.

Ablenkung

Als einer der ersten Graffiti-Künstler in der offiziellen Kunstwelt griff Basquiat in seinen Werken oft auf eine Bilderwelt zurück, die landläufige Ansichten über seine Identität transportierte. Sein Kritzelstil verbindet Elemente aus Autobiografie, Gesellschaftskommentar und Graffiti. Der alltägliche Rassismus, den er als »schwarzer« Amerikaner erlebte, beeinflusste seine Arbeit zutiefst. In einer spöttischen Parodie auf rassistische Darstellungen stellt Basquiat seine Figur hier bewusst »primitiv« dar und projiziert damit seine Verachtung für solche Ausdrucksformen. Beim energischen Malen war sein Geist abgelenkt, »im Fluss« der Schöpfung, fast schon meditativ. Dieses Phänomen ist verbreitet und eine der einfachsten psychologischen Techniken zum schnellen Stressabbau: Man ist mit seinem Tun so beschäftigt, dass es einen von allem ablenkt, was einen angreift. Versuchen Sie, lebhafte Zeichen zu erschaffen. Benutzen Sie beliebige Materialien und arbeiten Sie schnell. Kümmern Sie sich nicht um das Ergebnis, ersetzen Sie einfach Ihre negativen Gedanken durch Ihr Handeln.

Furious Man
1982 • Oil Stick, Acryl, Wachskreide und Tinte auf Papier • 76,2 x 55,8 cm
Privatsammlung

Andrew Wyeth »Ich träume viel. Ich male mehr, wenn ich nicht male. Es passiert im Unterbewusstsein.«

Emotional aufgeladen

Andrew Wyeth (1917–2009), das jüngste von fünf Kindern, erlernte die Kunst von seinem Vater, dem erfolgreichen Illustrator N. C. Wyeth (1882–1945). Die Familie lebte in Pennsylvania und Maine, Gegenden, die oft in Andrews Werken auftauchten. Aus gesundheitlichen Gründen wurde er zu Hause unterrichtet und studierte Kunstgeschichte, Musik und Poesie. Er lernte, mit Wasserfarben und Tempera zu malen, die sich stark von den traditionellen Ölfarben unterschieden. Sein Vater förderte alle Talente seiner Kinder, und die Familie hatte ein sehr enges Verhältnis. Alle Geschwister waren begabt und erfolgreich und wurden Künstler, Erfinder und Musiker. 1945 kam es allerdings zu einer Tragödie. Wyeths Vater und sein dreijähriger Neffe wurden getötet, als ihr Auto auf einem Bahnübergang stehenblieb und vom Zug erfasst wurde. Ab da war Wyeths Kunst besonders schwermütig und emotional aufgeladen.

Resolut und entschlossen

Eine junge Frau sitzt auf einem Feld und blickt zu dem Haus mit seinen Nebengebäuden. Das gelbliche Gras lässt vermuten, dass es keinen Regen gab. Wyeth besaß ein Sommerhaus nahe Cushing in Maine. Die dargestellte Frau ist seine Nachbarin Christina Olson. Wegen einer degenerativen Muskelerkrankung konnte sie nicht laufen, nutzte aber keinen Rollstuhl, sondern zog sich mit den Armen vorwärts.

Wyeth wurde zu dem Bild angeregt, als er sah, wie sie sich über das Feld zog. Sie war fünfundfünfzig, und er mischte einige ihrer Aspekte mit denen seiner Frau Betsy, die damals Mitte zwanzig war. Betsy schlug auch den Titel für das Bild vor, der nahelegt, dass dies eher eine Geisteshaltung als einen Ort darstellt.

Transzendentalismus

Wyeth schrieb, dass Olson »körperlich, aber keineswegs spirituell eingeschränkt« war und »die Herausforderung darin bestand, der außerordentlichen Bewältigung ihres Lebens gerecht zu werden, das die meisten Menschen für hoffnungslos halten würden«. Sie wirkt verletzlich und isoliert, doch das Bild drückt noch viel mehr aus als das. Es richtet sich an jeden, der Widrigkeiten erlitten und bezwungen hat.

Wyeth wurde auch von der Bewunderung seines Vaters für den Philosophen, Dichter und Transzendentalisten Henry David Thoreau (1817–1862) inspiriert. Transzendentalisten glauben an die Macht der Eigenständigkeit und daran, sich selbst treu zu sein. Zu Thoreaus Interessen gehörten die Vorstellungen von persönlicher Ausdauer und Glück angesichts schwieriger Situationen, Eigenschaften, die durch den Glauben an sich selbst gestützt werden können. Dieses Bild zeigt, wie Wyeth diesen Konzepten folgte und dem Betrachter damit zeigte, dass fast alles durch den Glauben an sich selbst und Entschlossenheit zu schaffen ist.

Christina's World
1948 • Tempera auf Holztafel • 81,9 x 121,3 cm
Museum of Modern Art, New York, USA

Stress abbauen

Agnes Martin »Kunst ist die konkrete Repräsentation unserer zartesten Gefühle.«

Östliche Philosophien

Agnes Martin (1912–2004) wurde auf einer Farm geboren und wuchs in Vancouver auf. 1931 zog sie in den Bundesstaat Washington. Sie studierte dort und später in New York, wo sie Arbeiten von Künstlern wie Arshile Gorky (1904–1948), Adolph Gottlieb (1903–1974) und Joan Miró kennenlernte. 1947 besuchte sie an der University of New Mexico in Taos den Unterricht eines Zen-buddhistischen Gelehrten und entwickelte eine Faszination für asiatische Philosophien. Sie reiste 18 Monate lang durch Kanada und die USA, bevor sie sich in New Mexico in einem selbst gebauten Lehmziegelhaus niederließ. Ihre abstrakten Gemälde werden vor allem mit New Mexico, ihrer Kindheit auf einer kanadischen Farm sowie dem Taoismus und Buddhismus assoziiert. Sie wurde als »heimliche Homosexuelle« beschrieben und litt an paranoider Schizophrenie.

Die Idee der Abwesenheit

Ab Anfang der 1960er-Jahre begann Martin, riesige Leinwände zu bemalen, die sie mit Feldern aus zarten Farben und feinen, sorgfältig gezogenen Rastern bedeckte. Kuratoren beschrieben sie als minimalistisch, sie selbst sah sich jedoch als dem Abstrakten Expressionismus zugehörig. Ihre Bilder demonstrierten ihr Interesse an fernöstlicher Ethik. *Night Sea* ist ein Beispiel für ihre Vorgehensweise, über die sie sagte, dass sie von »irgendwo, aus einer

sicheren Entfernung von der Kunst« komme. »Irgendwo« waren für Martin Orte, an denen sie sich sicher und ruhig fühlte. Den Einfluss der asiatischen Philosophien kann man in ihrer Darstellung der Idee der »Abwesenheit« erkennen und daran, dass sie die Betrachter ermutigt, unter die Oberfläche zu blicken. Das Werk beschwört das Gefühl, bei Nacht in einen tiefen Ozean zu blicken; das feine, fadenartige Netzwerk aus Gold betont das tiefe Blau.

Ermutigende Reaktionen

Martin erfuhr in ihrem Leben eine Menge Stress, vor allem durch ihre Schizophrenie, die sie in auditiven Halluzinationen, Depressionen und Trancen äußerte und wegen der sie eine Zeit lang oft im Krankenhaus war. Stress kann außerordentlichen Einfluss auf die geistige und körperliche Gesundheit haben. Ob man nun das Gefühl des Stresses loswird oder damit leben muss – wichtig ist, zu versuchen, die stressigen durch ruhige, positive Gedanken zu ersetzen. Mit *Night Sea* wollte Martin genau das erreichen. Sie bestand darauf, dass ihre Gemälde keine persönlichen Emotionen oder biografischen Elemente widerspiegelten, sondern dass sie ermutigende Reaktionen stimulieren und einen erhebenden, entspannten Geist schaffen und dabei helfen würden, ihren Besuchern den Stress zu nehmen.

Night Sea
1963 • Buntstift, Blattgold und Öl auf Leinen • 182,9 x 182,9 cm
San Francisco Museum of Modern Art, Kalifornien, USA

Paul Klee »*Ich male, um nicht zu weinen.*«

Farbe und Musik

Der in der Schweiz geborene deutsche Künstler Paul Klee (1879–1940) übte sich als Jugendlicher sowohl im Zeichnen als auch in der Musik und spielte sein Leben lang Geige. Inspiriert durch Kubismus, Expressionismus, Surrealismus und Farbtheorie, schrieb er und unterrichtete am Bauhaus und der Kunstakademie Düsseldorf. Sein Werk reflektiert seinen Sinn für Humor, seine Überzeugungen und seine Musikalität. Obwohl er Kunst studiert hatte, konnte er den Techniken der Malerei und der Farben zunächst nichts abgewinnen. Er reiste nach Italien, experimentierte mit kreativen Ansätzen und trat den expressionistischen Gruppen Der Blaue Reiter und Die Blaue Vier bei. 1914 besuchte er Tunesien, wo das Licht seine Auffassung änderte. Er schrieb: »Farbe hat mich. Ich brauche nicht nach ihr zu haschen.« Kurz darauf begann er zu malen.

Das Auge führen

In diesem Bild, das Klees jüngst erworbene Begabung demonstriert, sind die Farben und schrägen Linien so angeordnet, dass sie das Auge zu dem roten Kreis in der Mitte führen. Es könnte der namensgebende Ballon oder eine Sonne sein. Die geometrischen Formen scheinen schwerelos, deuten aber eine Stadtlandschaft an. Sie deuten auf Klees Begeisterung für Kinderzeichnungen und andere künstlerische Ideen hin, die sich in Europa damals entwickelten, wie Neo-Plastizismus,

Suprematismus und Konstruktivismus. Klee selbst wollte sich nie in eine Schublade stecken lassen und änderte deshalb immer wieder Inhalte, Techniken und Stile. Die Komposition wirkt abstrakt, der Titel hingegen ist gegenständlich, was dazu anregt, Aspekte des Lebens darin zu finden. Die Darstellung bleibt aber eher expressiv als deskriptiv.

Posttraumatisches Wachstum

1931 erklärten die Nazis Klees Kunst für entartet. Die Gestapo durchsuchte sein Haus, er verlor seinen Posten an der Akademie Düsseldorf und viele seiner Werke wurden beschlagnahmt. Ab 1935 litt er an einer schmerzhaften Krankheit, schuf aber in seinen letzten Jahren dennoch mehr als 1.000 Werke, die oft von seinem persönlichen Leid handeln. Klee war wie Andrew Wyeth ein Transzendentalist. Ein Aspekt der transzendentalen Überzeugung ist, dass die materielle Welt nur eine von mehreren Realitäten ist und Kreativität ihren Ursprung jenseits des Bewusstseins hat. Klee nutzte die Kunstschöpfung als Meditation, weil ihm dies half, wie er sagte, in einer »Zwischenwelt« zu leben. Bei einem Phänomen namens »Posttraumatisches Wachstum« nutzen Menschen, die extremen Stress erfahren haben, dieses Erlebnis, um das Leben schätzen zu lernen und neue Chancen anzunehmen. Sie kultivieren ihre innere Stärke durch das Wissen, dass sie immense Härten überwunden haben.

Roter Ballon
1922 • Öl auf Musselin auf Holz • 31,7 x 31,1 cm
Solomon R. Guggenheim Museum, New York, USA

Joan Miró »Jedes Staubkorn enthält die Seele von etwas Wunderbarem.«

Biomorphe Formen

Der spanische Maler, Bildhauer und Keramiker Joan Miró (1893–1983) schuf biomorphe Formen nach der Fantasie und stilisierte Formen nach dem wirklichen Leben. Mit vierzehn begann er, an der Kunstakademie (La Llotja) in Barcelona Landschaftsmalerei und ornamentale Kunst zu studieren. Zugleich absolvierte er eine kaufmännische Ausbildung. Nach Nervenzusammenbruch und Typhuserkrankung kaufte seine Familie in Montroig del Camp einen Bauernhof, auf dem er sich erholte und künstlerisch arbeitete. Nach dem 1. Weltkrieg zog er nach Paris. Dort traf er Picasso und andere avantgardistische Künstler. Wie er sich später erinnerte, war er so arm, dass er vor Hunger Halluzinationen hatte. Dies inspirierte seinen Automatismus, eine unbewusste Malerei, die, wie er glaubte, tieferliegende Wahrheiten zutage brachte.

Eine jährliche Feier

Eigenwillige Figuren feiern beim Mardi Gras, der jährlichen römisch-katholischen Feier vor Beginn der Fastenzeit. In der Mitte links ist Harlekin, eine Figur der italienischen Commedia dell'Arte, geformt wie eine verzerrte Gitarre, der Kopf ein blauroter Ball, mit Schnurrbart, Pfeife und Admiralshut. Mirós Katze (die beim Malen immer bei ihm war) tanzt auf den Hinterbeinen, ihr rotgelbes Gesicht dem Betrachter zugewandt. Auf dem Tisch liegt ein gelbschwarzer Fisch, aus einer

Leiter wachsen ein Ohr und ein Auge, an der Wand sind Noten, und schwarzweiße Röhren formen ein gewelltes Kreuz in der Mitte. Miró erklärte, das schwarze Dreieck symbolisiere den Eiffelturm und die Leiter repräsentiere sein Gefühl, fliehen zu wollen.

Selbsterkenntnis

Miró kämpfte sein ganzes Leben lang mit Depressionen, die sich in Wutausbrüchen, Stimmungsschwankungen und Perioden akuter Verzweiflung äußerten. Er wurde seinen Eltern zuliebe Buchhalter, doch der Stress eines widerwillig erlernten Berufs war zu viel. Die Kunst half ihm, sich selbst zu erkennen und seine Denkprozesse zu verstehen. Der Automatismus war sein Weg, die unterdrückte Kreativität freizulassen. Er verband den unbewussten Prozess mit einer gewissen bewussten Kontrolle, da er einsah, dass er seinen Geist disziplinieren müsse, um den unbewussten freien Zustand zu erreichen, in dem er sich ausdrücken, seine Gefühle und Erfahrungen erkunden und so seinen Stress abbauen konnte. Das Loch im Bauch des Harlekins symbolisiert seine Zeit als kämpfender, darbender Künstler in Paris. Es kann hilfreich sein, sich seine Stimmungen zu vergegenwärtigen, wenn man gestresst ist – man nennt dies Metakognition. Welche Ursache der Stress auch haben mag, indem man sich seine Denkprozesse objektiv vor Augen führt, kann man lernen, mehr Kontrolle zu erlangen.

Karneval des Harlekins
1924–25 • Öl auf Leinwand • 66 x 93 cm
Albright-Knox Art Gallery, Buffalo, USA

Einsamkeit bewältigen

Viele Menschen fühlen sich manchmal einsam. Einsamkeit entsteht nicht immer, wenn man allein ist, und körperliche Nähe lindert nicht notwendigerweise das Gefühl geistiger Isolation, weshalb sich so viele Menschen in Städten einsam fühlen.

Es wurden verschiedene wissenschaftliche Studien durchgeführt, um das Ausmaß, den Umfang, die Ursache und die Auswirkungen von Einsamkeit zu erforschen. Einige dieser Studien haben bewiesen, dass Einsamkeit sich auf die geistige und körperliche Gesundheit auswirken und Probleme wie Alkoholismus, Rauchen und Dickleibigkeit verursachen können. Derweil gibt es immer mehr wissenschaftliche Beweise, die belegen, dass die kreativen Künste eine wichtige Möglichkeit bilden, um das Gefühl von Isolation und Entfremdung sowie die damit verbundenen negativen gesundheitlichen Auswirkungen zu verringern. Einsamkeit und die Qual, die bei solchen mentalen Problemen verspürt wird, wurden häufig von Künstlern dargestellt, wie etwa von Vincent van Gogh, Edward Hopper, Edvard Munch, Caspar David Friedrich und Constance Marie Charpentier. Ihre Kunstwerke scheinen Spiegel zu sein, in denen die Betrachter ihr eigenes Abbild wiederfinden können.

Der Wanderer über dem Nebelmeer (Detail) von Caspar David Friedrich; siehe Seite 73.

Edvard Munch »Kunst erwächst aus Freude und Schmerz … Aber vor allem aus Schmerz.«

Morbide Faszinationen

Der im norwegischen Løten geborene Edvard Munch (1863–1944) war umgeben von Krankheit und Tod. Als er fünf war, starb seine Mutter an Tuberkulose, neun Jahre später erlag seine fünfzehnjährige Schwester ebenfalls dieser Krankheit. Sein strenger Vater, ein tiefgläubiger Christ, litt an Depressionen. Er las seinen Kindern Gespenstermärchen vor, und Munch wuchs mit einer morbiden Faszination für Tod und Religion auf. Er war oft krank und verpasste häufig die Schule. 1879 begann er eine technische Ausbildung, brach diese aber nach einem Jahr ab und nahm ein Studium an der Königlichen Zeichenschule in Kristiania (heute: Oslo) auf. Mit sechs anderen Künstlern mietete er 1881 ein Atelier. Später lebte er in Berlin und Paris, kehrte aber 1910 wieder nach Norwegen zurück. Die heftigen Emotionen und die unkonventionelle Bildsprache seiner Gemälde riefen sowohl wütende Kritik als auch überschwängliches Lob hervor.

Feuerzungen

Dieses berühmte, ursprünglich auch *Der Schrei durch die Natur* genannte Bild beruht auf einem Erlebnis Munchs, der einen durchdringenden Schrei zu hören glaubte, als er an einer Straße oberhalb der Stadt Kristiania entlangspazierte. Später erinnerte er sich: »Ich ging den Weg entlang mit zwei Freunden – die Sonne ging unter – der Himmel wurde plötzlich blutig rot – ich stand, lehnte mich an den Zaun todmüde – ich sah … die flammenden Wolken wie Blut und Schwert – den blauschwarzen Fjord und die Stadt. Meine Freunde gingen weiter … ich stand da zitternd … ich fühlte etwas wie einen großen, unendlichen Schrei durch die Natur.« Das hier gezeigte Bild ist eine von vier Versionen; zwei sind gemalt, eine ist in Pastell und eine weitere als Lithografie ausgeführt.

Der Realität ins Auge schauen

Munch erklärte, er habe den *Schrei* gemalt, um seine Seele darzustellen. Erst kürzlich war sein autoritärer Vater gestorben; etwa fünfzehn Jahre, nachdem er dies Bild gemalt hatte, kam er wegen eines Nervenzusammenbruchs ins Krankenhaus. Sein unrealistischer Stil, mit dem er seine Gefühle ausdrückte, brach mit der Tradition. Sein Bild, so sagte er, repräsentierte den Augenblick einer existenziellen Krise, als das Gewicht der Welt auf ihm zu lasten schien – ein Erlebnis, das seiner Beschreibung nach wie eine Panikattacke klingt. Sein Leben lang litt er unter Einsamkeit; er bezeichnete seine Gemälde als seine Kinder. Man muss nicht unter Munchs Problemen leiden, um Kunst als eine Art von Gemeinschaft zu verstehen. Kunst kann für das geschätzt werden, was sie jedem Betrachter persönlich vermittelt; Kunst spricht Erinnerungen und persönliche Erfahrungen an – sowohl bei denen, die sie erschaffen, als auch bei denen, die sie anschauen.

Der Schrei
1893 • Öl, Tempera, Pastell und Buntstift auf Karton • 91 x 73,5 cm
Nationalgalerie, Oslo, Norwegen

Caspar David Friedrich *»Der Maler soll nicht nur malen, was er vor sich sieht, sondern auch, was er in sich sieht.«*

Enttäuscht vom Materialismus

Caspar David Friedrich (1774–1840) wurde in Greifswald, damals Schwedisch-Pommern, geboren. Seine Kindheit war unglücklich; als er dreizehn war, waren seine Mutter, eine Schwester und sein Lieblingsbruder verstorben. Nach dem Studium in Deutschland und Dänemark, ließ er sich in Dresden nieder und stellte Aquarelle, Sepiablätter, Radierungen und Holzschnitte her, bevor er begann, in Öl zu arbeiten. 1810 wurde er in die Berliner Akademie der Künste, später auch in die Dresdner Akademie aufgenommen. Berühmt wurde er für seine allegorischen Landschaften mit ihren mehrdeutigen Figuren und atmosphärischen Szenerien, die zum Nachdenken über eine mögliche tiefere Bedeutung anregen. Wie viele Künstler der Romantik war er vom Materialismus der Gesellschaft enttäuscht und malte daher natürliche, atmosphärische, oft schwermütige Szenen. Diese waren zunächst sehr gefragt, gerieten dann aber außer Mode. Er starb nahezu vergessen.

Rückenfigur

Ein einsamer junger Mann steht mit dem Rücken zum Betrachter auf einer Felsspitze. Er trägt einen dunkelgrünen Mantel und einen Wanderstock und schaut auf eine in Nebel gehüllte Landschaft. Wind zerzaust sein Haar. Vor ihm steigen weitere Felsen aus dem Dunst auf. Der Nebel scheint allgegenwärtig, er zieht sich bis zu den Bergen in der Ferne. Friedrich griff für das Bild Aspekte des Elbsandsteingebirges in Sachsen und Böhmen auf, die er auf dramatische Weise in seiner Komposition anordnete. Der Mann ist als Rückenfigur, also von hinten, dargestellt; dies ist ein verbreitetes Mittel in der Kunst, das es dem Betrachter erlaubt, sein eigenes Selbst oder seine Vorstellungen darauf zu projizieren.

Die Macht der Natur

Das Bild vermittelt die Einsamkeit des Mannes und die überwältigende Macht der Natur. Es zeigt sein Nachdenken, könnte aber auch eine Metapher für eine ungewisse Zukunft sein. Vielleicht ist es ein Selbstbildnis, vielleicht aber auch eine allgemeine Figur; Friedrich wollte, dass sich der Betrachter mit dem Dargestellten identifiziert und sieht, was dieser sieht. Gleichzeitig wird angedeutet, dass die Natur in ihrer ehrfurchtgebietenden Pracht immer da ist, egal, wie allein und verletzlich man sich fühlt. Auf jeden Fall soll der Betrachter an das größere Ganze, die Weite der Welt erinnert werden sowie daran, dass die Freude an der Natur – selbst an einem kleinen Teil von ihr – ein gutes Mittel gegen die Einsamkeit ist. Mehr als die Hälfte der Weltbevölkerung lebt in Städten, und die moderne urbane Umwelt kann isolierend wirken. Forschungen haben gezeigt, dass offene Räume viele Vorteile haben, vor allem für die Gesundheit der Menschen.

Der Wanderer über dem Nebelmeer
ca. 1818 • Öl auf Leinwand • 94,8 x 74,8 cm
Hamburger Kunsthalle, Hamburg, Deutschland

Einsamkeit bewältigen

Constance Marie Charpentier

»Seinen Gedanken einen Körper und eine perfekte Form zu geben … ist, was es heißt, ein Künstler zu sein.« Jacques-Louis David

Gefühlsgeladene Porträts

Obwohl wenig über ihr Leben bekannt ist, weiß man, dass Constance Marie Charpentier, geborene Blondelu (1767–1849), in Paris geboren wurde und allgemein als eine der besten Porträtmalerinnen ihrer Zeit gilt. Sie studierte wahrscheinlich bei dem Künstler Johann Georg Wille (1715–1808) und dem anerkannten klassizistischen Maler Jacques-Louis David. David unterstützte Künstlerinnen, was für die Zeit ungewöhnlich war. Die meisten versuchten, Charpentier vom Malen großer historischer Gemälde abzubringen, die allgemein als Männerdomäne galten, und sie musste gegen Sexismus ankämpfen. Schließlich war sie mit ihren sentimentalen Genreszenen und Porträts von Frauen und Kindern erfolgreich, die sie von 1795 bis 1819 regelmäßig beim renommierten Pariser Salon ausstellte. Sie gewann sogar ein paar Medaillen. Aufgrund ihres Geschlechts und ihres Könnens wurden allerdings einige der Bilder fälschlicherweise David zugeschrieben.

Eine einsame Figur

Dieses Bild, das gemeinhin als Charpentiers Meisterwerk gilt, gewann 1801 beim Pariser Salon viel Lob und einen Preis. Eine einsame junge Frau in einem klassischen weißen Chiton sitzt auf dem Boden. Ihr Kopf ist gesenkt und sie wirkt niedergeschlagen. Ihre Pose erinnert an Albrecht Dürers *Melencolia I* (siehe S. 104). Diese allegorische Figur scheint vor dem dunklen Wald im Hintergrund förmlich zu strahlen. Ihre Hände sind schlaff, sie ist von Trübsal überwältigt. Charpentier malte dieses Werk während der französischen Revolutionskriege als Ausdruck des gemeinsamen Schmerzes der hinterbliebenen Frauen. Sie durfte nicht Stärke und Unabhängigkeit porträtieren, sondern musste der männlichen Sicht auf weibliche Zartheit entsprechen.

Licht ist Hoffnung

Manchmal werden wir in die Einsamkeit gedrängt – durch den Tod eines engen Verwandten, Partners oder Freundes, eine Pandemie, das Ende einer Beziehung, einen Unfall, den Umzug in eine fremde Stadt, eine neue Arbeit, einen drohenden Krieg oder das Verlassen des Zuhauses. Diese Momente des Alleinseins können von Melancholie durchdrungen werden. Vielleicht gibt es aber auch keinen konkreten Grund für diese Gefühle und sie überkommen uns mitten in einer Menschenmenge. Das kann sich anfühlen, als ob ein Licht verlischt. Die melancholische Frau in Charpentiers Bild trauert und wurde in einem Augenblick der Verzweiflung festgehalten. Doch jenseits der Dunkelheit gibt es zwischen den Bäumen ein Licht, das Hoffnung signalisiert. Auch wenn es unerreichbar scheint, existiert für sie und uns alle noch das Glück. Es lohnt sich, in der Kunst nach Freude und Hoffnung zu suchen, weil sie dort oft zu finden sind.

Melancholie
1801 • Öl auf Leinwand • 130 x 165 cm • Musée de Picardie, Amiens, Frankreich

Faith Ringgold »*Jeder kann fliegen. Man braucht nur einen Ort, an den man auf anderem Weg nicht gelangen kann.*«

Story-Quilts

Faith Ringgold (geb. 1930) wuchs während der Depressionszeit in Harlem, New York, auf. Nach einem BA in Pädagogik und einem MA in bildender Kunst arbeitete sie als Kunstlehrerin. 1963 schuf sie eine Serie von Gemälden über die Bürgerrechtsbewegung aus weiblicher Sicht. Sie experimentierte mit verschiedenen Medien und gründete mit einer ihrer Töchter die Interessengruppe Women Students and Artists for Black Art Liberation. 1972 stellte sie gemeinsam mit ihrer Mutter, der Modedesignerin Willi Posey Jones, Gemälde her, die von tibetischen *Thangka*, einer alten Form buddhistischer Kunst, inspiriert waren. In den 1980er-Jahren begann sie ihre »Story-Quilts«, mit deren Bildern sie aus der afroamerikanischen Geschichte erzählt. Außerdem schrieb sie Kinderbücher und ihre Memoiren.

Appartements in Harlem

Einer ihrer wortmächtigsten Story-Quilts berichtet von Menschen in einem Wohnhaus in Harlem. Schon ihre Mutter und Großmutter hatten Quilts genäht. Dieser besteht aus drei Teilen. Den Stoff hat sie mit Acrylfarbe bemalt und mit Pailletten sowie bedruckten und gefärbten Stoffstreifen verziert. Durch die Fenster in der Fassade sieht man die Menschen. Unter die Fenster schrieb sie drei Kapitel einer Geschichte – Der Unfall, Das Feuer und Die Heimkehr –, die sich über drei Jahrzehnte

erstreckt und von einer Frau namens Gracie erzählt wird. Sie handelt von einem einsamen Jungen, dessen Leben und Familie durch Rassismus und Armut beeinträchtigt wurden.

Die Heilung fördern

Als Person of Color rechnete Ringgold mit Ablehnung und Einsamkeit. Ihre Darstellung von Aspekten des Rassismus und Sexismus beruhen auf ihren Erfahrungen. *Street Story Quilt* handelt vom häuslichen Leben. Gracie stellt den zehnjährigen A.J. und seine Großmutter Ma Teedy vor, die Zeugen des Autounfalls waren, bei dem A.J.s Mutter und seine vier Brüder starben. Im mittleren Bild verursacht sein betrunkener Vater ein Feuer, das ihn tötet. A.J. läuft von zu Hause weg und wird von einem Polizisten aufgegriffen, dem er Drogen verkaufen will. Schließlich ist A.J. ein erfolgreicher Erwachsener, der sein generationenübergreifendes Trauma überwunden hat. Psychologen wissen schon lange, dass künstlerischer Ausdruck die Heilung fördert. Während der COVID-19-Pandemie richteten viele Museen und Einrichtungen in den USA – darunter das Metropolitan Museum of Art, in dem dieses Werk ausgestellt ist – Programme ein, um der Einsamkeit und der Isolation entgegenzuwirken. Manche waren praktischer Art, bei anderen ging es um Beobachtung. Teilnehmer berichteten, dass die Kunst ihnen half, ihre Gefühle und Erfahrungen auszudrücken.

Street Story Quilt

1985 • Baumwollstoff, Acrylfarbe, Textmarker, gefärbte und bedruckte Baumwolle und Pailletten,
genäht auf einen Untergrund aus Baumwollflanell • 228,6 x 365,8 cm
The Metropolitan Museum of Art, New York, USA

Jane Alexander »*Meine Arbeit war immer eine Antwort auf die gesellschaftliche Umgebung, in der ich mich befand.*«

Schockierende Ereignisse

Die für ihre Skulpturen bekannte Jane Alexander (geb. 1959) gehört zu den gefeiertsten Künstlern Südafrikas. Berühmt wurde sie für *The Butcher Boys* (1985/86), das sie noch als Studentin schuf. Sie wurde in Johannesburg geboren und greift bei ihren Werken auf ihre Erfahrungen unter der Apartheid zurück – der Rassentrennung in Südafrika von 1948 bis 1994 –, bei der sie Straßenkämpfe und mehr erlebte. Viele ihrer Arbeiten sprechen von den schockierenden Ereignissen dieser Zeit sowie ihrer Faszination menschliches Verhalten, historische Konflikte und das ausgebliebene globale Eingreifen während der Apartheid. Sie erschafft ihre Figuren aus Gips und gießt sie manchmal in Glasfaser, bevor sie sie mit Ölfarben bemalt; oft fügt sie dann noch gefundene oder extra angefertigte Kleidung und andere Objekte hinzu, um ein nachdenklich stimmendes Tableau herzustellen.

Kolonialismus, Identität und Demokratie

Diese ursprünglich für die britische Offiziersmesse des Castle of Good Hope in Kapstadt hergestellte Installation ist ein Kommentar zu Kolonialismus, Identität, Demokratie und den Überbleibseln der Apartheid. Auf einem großen Rechteck aus roter Erde sind dreizehn menschliche und tierartige Figuren angeordnet, darunter ein halbnackter Mann mit einem Leinensack über dem Kopf und einer

Machete in der Hand, der Ackerwerkzeuge hinter sich herzieht. Er stellt vermutlich Elias Xitavhudzi dar, einen südafrikanischen Serienmörder, der mit einer Machete tötete. Ein anderer ist Harbinger (der Vorbote), ein Omen, mit Menschenkörper und Affengesicht, der auf einem orangefarbenen Fass steht. Wir sehen eine kleine sitzende Frauenfigur in einem viktorianischen Taufkleid mit zwei vergoldeten Bronzehörnern. Weitere Figuren sind Puppe mit Arbeitshandschuhen, Siedler und Junger Mann.

Toleranz und Kommunikation

Die blassen Farben und der Eindruck von Stille über diesem Werk sind bewusst beunruhigend. Als Alexander damit begann, war Nelson Mandelas Präsidentschaft gerade zu Ende gegangen. Seine Wahl fünf Jahre zuvor hatte die Apartheid gestoppt. Die Komposition spiegelt die gesellschaftliche Brüchigkeit nach der Abschaffung der Rassentrennung. Als Verweis auf den Einfluss der Apartheid auf die Gesellschaft und den Verlust an Identität vieler Menschen zeigen die Figuren keine Interaktion, sondern drehen sich voneinander weg. Sie scheinen distanziert und entfremdet von den anderen. Bedrohlich wirkende Kisten mit TNT-Sprengstoff dienen einigen als Sockel. Das Werk strahlt Einsamkeit und Anspannung aus und könnte die Betrachter ermahnen, dass diese Probleme durch Toleranz und Kommunikation bewältigt werden könnten.

African Adventure
1999–2002 • Glasfaser, Gips, Kunstton, Ölfarbe, Acrylfarbe, Erde,
gefundene und angefertigte Kleidung und Objekte • Gesamtmaße variabel
Tate Modern, London, Großbritannien

Anselm Kiefer »*Was macht der Künstler? Er zieht Verbindungen. Er knüpft unsichtbare Fäden zwischen Dingen.*«

Kiefers Reflexionen

Kurz vor Ende des 2. Weltkriegs 1945 in Deutschland geboren, wuchs Anselm Kiefer unter Menschen auf, die es mieden, über den Krieg zu reden. Viele waren in ihren Ansichten gespalten, und einige zeitgenössische deutsche Künstler gingen Fragen bewusst aus dem Weg. Kiefer dagegen wurde berühmt für seine großformatigen Werke und Panoramen, gefüllt mit Verweisen auf Mythologie, Geschichte und Poesie, die bewusst die Ereignisse der jüngsten Zeit ansprechen. Bevor er Maler wurde, studierte er Rechtswissenschaften und Romanistik, schloss das Studium jedoch nicht ab. Seine Kunst befasst sich mit einem breiten Spektrum an Themen, darunter Spiritualität, Philosophie und Mythologie. Zu seinen Einflüssen zählen Altes und Neues Testament, Kabbala und die Poesie von Paul Celan (1920–1970) und Ingeborg Bachmann (1926–1973). Viele seiner Gemälde bestehen aus Schichten von Acrylfarbe, Ölfarbe, Kunstharz, Gips, Stroh, Asche und Blei.

Mythos und Erinnerung

Das Gemälde »Mann im Wald« zeigt eines der Symbole, die häufig von Kiefer benutzt werden: Bäume. Ein Mann steht in einem Wald und scheint einen brennenden Ast zu halten. Die Schichten dieses Bildes sind dünner, es ist offensichtlich aus weniger Materialien hergestellt als viele seiner anderen Werke, erkundet aber dennoch die vertrauten Themen Mythos und Erinnerung und ihre Verbindung zur deutschen Kultur und Geschichte. Die Bäume überragen den Mann deutlich. Traditionell steht der Wald für die Vorstellung von Verlorensein und Jenseitigkeit. Im alten Rom waren Wälder Orte heiliger Zusammenkünfte und der Anbetung, an denen sich häufig Götter und Menschen verbargen. Während des 2. Weltkriegs flohen die Menschen oft vor den Bomben in die Wälder. Kiefer scheint den Wald ebenfalls als Zufluchtsort zu sehen.

Das Alleinsein umdeuten

Der Mann unter den Bäumen verströmt Gefühle von Einsamkeit, Isolation oder Ausgestoßensein; er wird von den Bäumen aber auch umschlossen. Kleidung, Haut und Haar ähneln farblich seiner Umgebung. Forschungen zeigen, dass chronische Einsamkeit im Laufe der Zeit die Empfindlichkeit für und die Erwartung von Ablehnung verschärft. Findet man sich in dieser Position wieder, kann man Erleichterung erfahren, wenn man sich an seine positiven Eigenschaften erinnert, Dinge von Wert, die man vielleicht bereits verworfen hatte. Dadurch kann man sein Herangehen an soziale Situationen und die Umstände des Alleinseins ändern. Trotz der Isolation von Kiefers Mann wirkt das Bild ruhig und friedlich – Gefühle, die der Betrachter mitnehmen könnte.

Mann im Wald
1971 • Acrylfarbe auf Nesselstoff • 174 x 189 cm • Privatsammlung

Trauer verarbeiten

Im Jahre 1513 schrieb der italienische Humanist und Architekt Fra Giovanni Giocondo (ca. 1433–1515) in einem Brief:»Die Düsterheit der Welt ist nur ein Schatten. Dahinter, doch in unserer Reichweite, ist Freude. Da ist Glanz und Herrlichkeit in der Dunkelheit, könnten wir sie nur sehen. Und zum Sehen müssen wir nur hinschauen.« Christliche Kunst wurde oft dazu geschaffen, um mit den Betrachtern zu kommunizieren und ihnen zu bestimmten Zeiten in ihrem Leben zu helfen. Besonders die katholische Kunst hat sich mit Themen wie dem Kummer befasst, um die »Kummervollen Mysterien« des Neuen Testaments auszudrücken und die Betrachter dazu anzuregen, sich auf andere als ihre eigenen Sorgen zu konzentrieren, während sie rhythmisch beten. Selbst in unserem eher säkularen Zeitalter können viele dieser Ideen helfen. In *Art as Therapy* (2013, 2017 auf Deutsch erschienen als *Wie Kunst Ihr Leben verändern kann*) behaupten Alain de Botton (geb. 1969) und John Armstrong (geb. 1966), dass Kunst uns »lehren kann, erfolgreicher zu leiden«. Es gibt zahllose Möglichkeiten, wie die bildende Kunst den Betrachtern helfen kann, besonders dabei, kummervolle Gefühle in einer sicheren Umgebung zu erkunden, indem sie mit einer Sache in einem Kunstwerk mitfühlen, etwas Neues finden oder sich in der Kunst »verlieren« und dadurch ein spirituelles oder tranceartiges Erlebnis haben.

Der Tod der Jungfrau Maria (Detail)
von Caravaggio; siehe Seite 95.

Mark Rothko »*Ich bin nur daran interessiert, die grundlegenden menschlichen Emotionen auszudrücken – Tragik, Ekstase, Untergang usw.*«

Rothkos Farbe

Zehn Jahre nach seiner Geburt in Lettland emigrierten Mark Rothko (1903–1970) und seine Familie in die USA. Da er sich politisch betätigen wollte, besuchte er die Yale University, verließ sie aber nach zwei Jahren und studierte künftig an der Parsons School of Design bei Arshile Gorky. Nach Ausflügen in verschiedene andere Stile begann er 1947 mit dem Malen großer abstrakter Farbfelder, mit denen er Emotionen ausdrücken und abregen wollte. Diese »Farbfeldmalerei« (Color Field Painting) wird dem Abstrakten Expressionismus zugerechnet. Jahre später arbeitete er an Wandbildern, darunter auch für das Restaurant Four Seasons im New Yorker Seagram Building; die lukrativen Anzahlungen erstattete er jedoch zurück und gab die Gemälde lieber in ein Museum. Rothko starb im Alter von sechsundsechzig Jahren durch Selbstmord.

Schwebende Rechtecke

Rothko glaubte, dass die großartigsten Bilder jene wären, die ein Gefühl der Stille einfangen. Indem er dünne Schichten und Flecken aus Pigment übereinanderlegte, schuf er den Eindruck, als schwebten die Rechtecke auf der Leinwand. Sein Gemälde sollte spirituell und der Welt entrückt sein, so bewegend und ausdrucksvoll wie Musik. Diese großen, schwebenden Rechtecke aus abgestimmten Farben beziehen den Betrachter ein. Rothko inspirierte die absorbierende Wirkung der

Farbkombinationen und Oberflächen bei Henri Matisse findet. Fasziniert von den Tragödien des Aischylos (525/524–456/455 v. Chr.) und den Ideen Friedrich Nietzsches (1844–1900), strebte Rothko danach, seine eigenen machtvollen Emotionen in den Betrachtern auszulösen.

Eine tranceartige Wirkung

Rothkos bewusst auffälligen und manchmal dissonanten Farbkombinationen scheinen zu flackern und sich zu bewegen. In den 1950er-Jahren experimentierte er mit gedeckteren Farben und den Vorstellungen von Tragödie und Traurigkeit. Wenn man sie ruhig anblickt, können diese großen Farbfelder tranceartige Zustände hervorrufen. Rothko behauptete, dass manche Betrachter vor seinen Werken weinten, während sie ihre unterdrückten Gefühle herausließen. »Ich bin nur daran interessiert, menschliche Gefühle auszudrücken, und die Tatsache, dass Menschen zusammenbrechen und weinen, wenn sie meinen Bildern gegenüberstehen, zeigt, dass ich grundlegende menschliche Emotionen vermittle. Die Menschen, die vor meinen Bildern weinen, haben die gleiche religiöse Erfahrung wie ich, als ich sie gemalt habe.«

Black in Deep Red
1957 • Öl auf Leinwand • 176,2 x 136,5 cm • Privatsammlung

Michelangelo »Der Glaube an sich selbst ist der beste und sicherste Weg.«

»Il Divino«

Michelangelo Buonarroti (1475–1564) war Bildhauer, Maler, Architekt und Dichter. Geboren im toskanischen Caprese, ging er zunächst bei Domenico Ghirlandaio (1449–1494) in die Lehre und studierte dann die Bildhauerei an der Kunstschule der Medici. Obwohl er sich immer als Bildhauer bezeichnete, war Michelangelo gleichermaßen begabt in der Malerei und Architektur; man nannte ihn »Il Divino« (Der Göttliche) und beschrieb seinen Stil mit *terribilità* (Großartigkeit). Er war der erste Künstler, über den zu Lebzeiten Biografien erschienen. Er bevorzugte zwar die Bildhauerei, bemalte aber dennoch im Auftrag des Papstes die Sixtinische Kapelle in Rom, unter anderem mit 343 lebensgroßen Figuren und dem *Jüngsten Gericht* an der Altarwand. Schon bevor er dreißig wurde, schuf er zwei seiner bekanntesten Skulpturen, die *Pietà* und den *David* (1501–4); mit vierundsiebzig Jahren wurde er Architekt des Petersdoms in Rom.

Die personifizierte Verzweiflung

Nachdem er gehört hatte, dass diese *Pietà* (eine von dreien aus seiner Hand) einem Konkurrenten zugeschrieben wurde, signierte Michelangelo sie – es war das einzige Mal, dass er dies tat. Sie zeigt die Madonna, die Christus nach der Kreuzigung in ihren Armen hält. Michelangelos schuf als Erster in der italienischen Kunst ein Werk zum Thema Trauer. Die trauernde Maria wirkt alterslos, ihr Kopf leicht über den leblosen Körper ihres Sohnes gebeugt, ihre Hand verzweifelt ausgestreckt. Michelangelo verteidigte seine Entscheidung, sie jugendlich darzustellen, als Zeichen ihrer Reinheit. Der Künstler, Kunsthistoriker und Biograf Giorgio Vasari (1511–1574) schrieb von der »göttlichen Schönheit« des Werks, das die Renaissance-Ideale von klassischer Schönheit mit Naturalismus verbindet. Um die Harmonie der Komposition zu wahren, machte Michelangelo Maria größer, als sie von Natur aus wäre, dennoch wirkt sie natürlich.

Jenseits des Sagbaren

Die Szene der *Pietà*, in der der Leib Christi auf dem Schoß seiner trauernden Mutter liegt, wird in der Bibel nicht erwähnt, galt aber im Mittelalter als eine der »Sieben Schmerzen der Heiligen Jungfrau«. Einer von Marias Titeln ist Königin der Märtyrer. Er deutet an, dass ihr Martyrium größer ist als das anderer. In der christlichen Kunst werden Märtyrer im Allgemeinen mit den Instrumenten ihres Leidens dargestellt – Maria hält ihren toten Sohn. Wenn Trauer oder Leid jenseits des Sagbaren liegen, können Bilder helfen, tiefste Gefühle auszudrücken oder aufzunehmen, um zu trösten, und sei es nur für einen Moment. Kunst, die Emotionen thematisiert, kann helfen, tiefe Gefühle wie Trauer und körperliche Symptome von Qual, Depressionen und Angst zu bewältigen.

Pietà
1498–99 • Marmor • 174 x 195 cm • Petersdom, Vatikan, Italien

**Trauer
verarbeiten**

Pablo Picasso *»Malen ist der Beruf eines Blinden. Er malt nicht das, was er sieht, sondern das, was er fühlt.«*

Anführer der Avantgarde

Pablo Picasso (1881–1973), der berühmteste Künstler des 20. Jahrhunderts, war Maler, Zeichner, Bildhauer und Keramiker, schuf im Laufe seiner langen Karriere mehr als 20.000 Werke und veränderte die Kunstgeschichte grundlegend. Das Wunderkind nutzte seine Originalität, Vielseitigkeit und Energie, um ein unvergleichliches Erbe zu hinterlassen. Er experimentierte unter anderem mit verschiedenen Medien, war Mitbegründer des Kubismus und führte die Collage in die bildende Kunst ein. Er wuchs in Spanien auf und wurde mit vierzehn Jahren an der Kunst- und Designschule La Llotja aufgenommen, an der er sogar zwei Jahre übersprang. In seiner Wahlheimat Paris wurde er 1900 zum anerkannten Anführer der künstlerischen Avantgarde, der regelmäßig seine künstlerischen Stile radikal änderte. Mehrere von ihnen tragen Namen, etwa Blaue, Rosa und Afrikanische Perioden.

Ein Ausdruck von Schmerz

Dieses Gemälde, entstanden als Reaktion auf die Bombardierung der baskischen Stadt Guernica durch die deutsche Legion Condor während des Spanischen Bürgerkrieges (1936–39), erzählt vom universellen Leiden. Das Modell war Dora Maar, Picassos damalige Geliebte. Das Bild erinnert an die katholische Mater Dolorosa (Schmerzensmutter), die ihren toten Sohn beweint (siehe Seite 91). Kräftige Farben und Linien erzeugen eckige

Formen und Flächen, die das Gesicht aus verschiedenen Blickwinkeln darstellen. Nichts von der bevorstehenden Tragödie ahnend, trägt sie einen flotten Hut, was die Intensität noch verstärkt. Ihr Taschentuch scheint sich in Eis oder Glas zu verwandeln und symbolisiert so ihren Schmerz, während sich in den Pupillen die Formen der feindlichen Flugzeuge zu spiegeln scheinen.

Hoffnung

Picasso griff für dieses Werk auf seinen frühen analytisch-kubistischen Stil zurück und malte es mit eckigen, gezackten Fragmenten. Das Gemälde verkörpert Qual und die Trauer der unschuldigen Zivilisten während des Krieges und zeigt den intensiven Schmerz der Frau. Es könnte auch ein Selbstbildnis sein, das Picassos Verzweiflung angesichts der Zerstörung seines Landes durch den Bürgerkrieg zeigt. (Er schwor, nicht nach Spanien zurückzukehren, solange General Franco an der Macht blieb.) Auf jeden Fall zwingt es uns, die rohen Gefühle dieser Frau zu erleben, und dankbar zu sein, dass wir unsere Emotionen teilen können. Picassos Freund und Biograf Roland Penrose (1900–1984), dem das Bild gehörte, glaubte, dass es die Hoffnung repräsentierte, aber auch die heilende Kraft des Trauerns. Entsprechend wird das rechte Ohr der Frau zu einem Vogel, der ihre Tränen trinkt, und die Blume an ihrem Hut zu einem Zeichen des neuen Lebens.

Weinende Frau
1937 • Öl auf Leinwand • 61 x 50 cm • Tate Modern, London, Großbritannien

Aelbrecht Bouts *»Er heilt, die zerbrochenen Herzens sind, und verbindet ihre Wunden.«* Psalm 147:3

Die Kontemplation des Künstlers

Aelbrecht (manchmal auch Albert, Aelbert oder Albrecht) Bouts (vor 1473–1549) wurde im belgischen Löwen in eine Malerfamilie hineingeboren. Sein Vater und sein älterer Bruder waren Künstler, und Aelbrecht selbst übernahm 1475 die väterliche Werkstatt. Die meisten seiner Werke wurden zur christlichen Andacht erschaffen und behandelten typische Interpretationen von frommen Themen, in denen oft Not und Trübsal ausgedrückt wurden. In den damaligen Niederlanden wurde von den Künstlern erwartet, dass sie den Gläubigen halfen, die heiligen Schriften zu verstehen. Bouts entwickelte eine anspruchsvolle Technik mit glatten Konturen, akkuraten Details und einer beschränkten Farbpalette. Viele seiner Gemälde sollten zur Kontemplation, zum andachtsvollen Nachdenken anregen. Seine Arbeiten wurden so populär, dass er seine Werkstatt erweiterte und eine große Zahl ähnlicher Bilder herstellte.

Universeller Kummer

Dieses Gemälde, das den Betrachter anregt, sich mit Marias Leid zu identifizieren, nachdem ihr Sohn gekreuzigt wurde, drückt Traurigkeit und Kummer aus. Marias Kummer oder Trauer war als Sujet im 15. Jahrhundert in Teilen Nordeuropas sehr beliebt, weil es zu der religiösen Reformbewegung der Devotio moderna (zeitgemäße Frömmigkeit) passte. Deren Anhänger wurden dazu angehalten,

für sich allein vor frommen Bildern zu beten. Bouts gehörte zu den gefragten Herstellern dieser Bilder. Mit der Darstellung der Heiligen Jungfrau in ihrem Schmerz illustrierte er Psalm 147:3, »Er heilt, die zerbrochenen Herzens sind, und verbindet ihre Wunden.« Trotz ihrer Trauer bewahrt Maria sich ihre Würde. Das Mitgefühl des Betrachters wird durch ihre unglücklichen Augen und die glänzenden Tränen ausgelöst.

Die Anspannung lösen

Trauer ist die stärkste Ausprägung von Kummer und Traurigkeit und kann lebensverändernd sein. Wir alle reagieren unterschiedlich auf diese Emotion, dennoch gibt es universelle Mittel, damit zurechtzukommen und den Heilungsprozess zu beginnen. Trauer kann unser Verhalten ändern, unsere Selbstachtung verringern und Depressionen auslösen. Studien haben allerdings gezeigt, dass die bildende Kunst besonders wirksam beim Lindern von Schmerz ist und uns Wege eröffnen kann, durch die wir diese Verlustgefühle erforschen und ausdrücken können, sodass wir schließlich Akzeptanz und Heilung erfahren. Bouts verstand, wie durch das Nachsinnen über ein Kunstwerk Anspannung gelöst wird, um die natürlichen Heilungsprozesse in Gang zu setzen.

Die Mater Dolorosa
Mitte der 1490er-Jahre ● Öl auf Eichentafel ● 37,9 x 27 cm
Harvard Art Museums, Cambridge, Massachusetts, USA

Masaccio »*Humanismus ist eine rationale Philosophie, gestützt auf die Wissenschaft, inspiriert durch die Kunst und motiviert durch das Mitgefühl.*«

The American Humanist Society

Realismus und Perspektive

Durch seinen innovativen Realismus und den Einsatz von Perspektive gilt Masaccio (1401–1428) als einer der größten Künstler der Frührenaissance. Beeinflusst wurde er von Donatello (ca. 1386–1466) mit seinen lebensechten Skulpturen und dem Architekten Filippo Brunelleschi (1377–1446), der das Konzept der Zentralperspektive entdeckte. Der Spitzname »Masaccio« bedeutet »großer« oder »grober« Tom und spielt entweder auf sein Aussehen an oder diente zur Unterscheidung von seinem Kollegen »Masolino« (»kleiner Tom«). Über seine Jugend ist wenig bekannt. 1422 trat er als unabhängiger Künstler in die Florentiner Malergilde Arte dei Medici e Speziali ein, 1423 reiste er nach Rom, um klassische Statuen zu studieren und gemeinsam mit Masolino (1383–ca. 1440–47) ein großes Altarbild zu schaffen. Später malte er in Florenz mehrere Altarbilder. Mit sechsundzwanzig Jahren starb er – vermutlich an der Pest – in Rom.

Qualen und Leiden

Das hier gezeigte Werk, das zu Masaccios bekanntesten Szenen gehört, stellt den Moment dar, in dem Adam und Eva aus dem Garten Eden verbannt werden, weil sie ungehorsam waren. Mit dem Realismus dieser Figuren brach Masaccio mit dem bisher bevorzugten strengeren gotischen Stil. Adam und Eva weinen und jammern bei der Vertreibung. Sie wirken verstört. Das Werk übte einen großen

Einfluss auf die Verbreitung des Themas aus und inspirierte sogar Michelangelos Fresken in der Sixtinischen Kapelle. Beide Posen stammen von klassischen Statuen. Eva erinnert an die Venus Pudica, während Adams Torso wahrscheinlich von der Statue des Apollo Belvedere im Vatikan beeinflusst war.

Humanismus

Masaccio hing der neuen, humanistischen Bewegung an, die im 15. Jahrhundert unter den Gebildeten Italiens aufkam. Der Humanismus rückt anstelle von Gott und dem Leben nach dem Tod die Menschen in den Mittelpunkt. Er vertritt eine positive Einstellung gegenüber der Welt: Jeder Mensch kann sein und das Leben anderer durch seine Lebensweise beeinflussen. Irdische Freuden und gesellschaftliche Werte werden über die christlichen Überzeugungen gestellt, die auf ein besseres künftiges Leben abzielen. Entsprechend präsentiert Masaccio die *Vertreibung* als eine moralische Geschichte und zeigt den Schmerz und die Scham, die Adam und Eva nach dem Essen der verbotenen Frucht empfunden haben. Der Humanismus empfiehlt, sich auf die Suche nach dem persönlichen Glück zu konzentrieren – und keine Angst davor zu haben, glücklich zu sein –, sowie Empathie und Mitgefühl für andere zu empfinden.

Die Vertreibung aus dem Garten Eden

1425–27 • Fresko • 208 x 88 cm • Cappella Brancacci,
Chiesa di Santa Maria del Carmine, Florenz, Italien

**Trauer
verarbeiten**

Caravaggio »*Die Pein der Anwesenden scheint ein unendliches und unauslöschliches Wesen zu haben.*«

Roberto Longhi

Dramatische Effekte

Michelangelo Merisi da Caravaggio (1571–1610) entwickelte einen einmaligen Malstil, in dem er biblische Ereignisse zeitgenössisch darstellte. Nach dem Tod seiner Eltern trat er eine Lehre bei dem Maler Simone Peterzano (ca. 1540–ca. 1596) an und zog anschließend von Mailand nach Rom. Als unabhängiger Künstler malte er naturalistisch mit dramatischen Lichteffekten. Zwischen etwa 1600 und 1606 war er der berühmteste Maler Roms, obwohl seine Verwendung von Bauern als Modelle für die Heiligenfiguren viele beleidigte. Er war berüchtigt für seine zahlreichen Streitereien. 1606 tötete er einen Mann und wurde aus Rom verbannt. Er zog nach Neapel, wo er den Schutz der Familie Colonna genoss, wurde jedoch 1608 erneut wegen eines Tumults verhaftet und floh nach Sizilien. Caravaggio starb unter mysteriösen Umständen, als er nach Rom zurückkehrte, um die Begnadigung durch den Papst zu erhalten.

Verwerfen der Ikonografie

Dieses Werk wurde vom päpstlichen Rechtsgelehrten Laerzio Cherubini (ca. 1556–1626) für seine Kapelle in der Kirche Santa Maria della Scala in Rom in Auftrag gegeben. Allerdings wurde es abgelehnt, weil man es unangemessen fand. Es gab das Gerücht, dass eine Prostituierte Modell für die Heilige Jungfrau gestanden habe. Dies beleidigte die Ordensbrüder ebenso wie ihre nackten Knöchel und der

angeschwollene Körper. Unter einem roten Baldachin versammeln sich die Apostel um ihren Leichnam. Licht fällt durch ein hohes Fenster und beleuchtet ihre Köpfe sowie den Oberkörper der Maria, der in ein zeitgenössisches rotes Kleid gehüllt ist. Caravaggio hat die Ikonografie, die traditionell zum Einsatz kam, um Marias Heiligkeit zu zeigen, völlig verworfen. Der Evangelist Johannes steht nahebei, während Maria Magdalena weint, während sie ihren Kopf in den Händen hält.

Von der Dunkelheit ins Licht

Dieses Gemälde verkörpert Trauer. Gramerfüllte Figuren umgeben den Leichnam der Heiligen Jungfrau, ihre Gesichter sind verborgen. Blendendes Licht und tiefe Schatten drücken die machtvollen Emotionen aus. Caravaggios originelle, dramatische Verwendung von Chiaroscuro (Hell-Dunkel-Malerei) und Tenebrismus (Kontraste von Licht und Schatten) verschafften ihm über Jahrhunderte Einfluss. Dieses Gemälde war dafür gedacht, in einer dunklen, von Kerzen erleuchteten Kirche betrachtet zu werden, sodass die hellen Elemente hervorstrahlen. Dunkelheit und Licht dienten in der Kunst schon lange als Metaphern, um jenen zu helfen, die deprimiert sind, trauern, an Selbstmord denken oder anderweitig Kummer haben.

Der Tod der Jungfrau Maria
1602–06 • Öl auf Leinwand • 369 x 245 cm • Musée du Louvre, Paris, Frankreich

Selbst-
reflexion
anregen

Im Allgemeinen versuchen Künstler, durch ihre Kunst zu verstehen, wie die Welt funktioniert und wie die Menschen leben. Das Anschauen oder Herstellen von Kunst stimuliert auf ganz natürliche Weise den Geist und kann, durch die Selbstreflexion oder Introspektion, die es auslöst, dem Betrachter helfen, sich selbst und der Welt besser bewusst zu werden.

Menschen bilden über ihr Verhalten ihre Identität in der Gesellschaft aus, doch durch Selbstreflexion – das Fokussieren auf die wahren Ansichten, Werte, Einstellungen, Überzeugungen und Verhaltensweisen – kann sie mit sich selbst ins Reine kommen, ihre größten Ziele und Ambitionen erreichen, mehr Respekt und Achtung vor den Gefühlen anderer gewinnen und ihre Emotionen und Reaktionen besser kontrollieren. Künstler konzentrieren sich oft auf ihre Stärken und Schwächen. Betrachter können das für sich ebenfalls erreichen, wenn sie unterschiedliche Kunstwerke studieren. So schuf zum Beispiel Barbara Hepworth Kunst, die Natur und Musik erkundete, zwei Bereiche in ihrem Leben, die ihr ungemein wichtig waren. Vincent van Gogh verwendete leuchtende Farben und Aaron Douglas dachte über Aspekte seines Erbes nach. All dies sind Bereiche mit persönlichen Verbindungen zu den Künstlern – ein wesentliches Element für die effektive Selbstbetrachtung.

Sternennacht (Detail) von
Vincent van Gogh; siehe Seite 103.

Shen Zhou *»Wer viel von sich verlangt und wenig von anderen, wird vom Hass verschont bleiben.«*

Konfuzius

Konfuzianismus und Unabhängigkeit

Shen Zhou (1427–1509), ein führendes Mitglied der chinesischen Wu-Schule, in der Malen eher als Meditation denn als Beschäftigung galt, stammte aus der Provinz Jiangsu. Seine Familie war wohlhabend und so brauchte er keinen Mäzen. Da seine Mutter auch nach dem Tod seines Vaters für ihn sorgte, konnte er ohne Einschränkungen malen. Seine Ausbildung und sein künstlerisches Training vermittelten ihm Ehrfurcht für die historischen Traditionen seines Landes. Deshalb folgte er dem künstlerischen Vorbild der Yuan-Dynastie (1271–1368) und des orthodoxen Konfuzianismus, experimentierte aber auch mit eigenen Stilen. Er wurde für seine Landschafts- und Blumenbilder berühmt sowie für seine Zusammenarbeit mit anderen bei der Herstellung von Gemälden, Gedichten und Kalligrafien.

Grazil und harmonisch

Shen malte diese Rolle aus Anlass des 70. Geburtstags seines Lehrers Chen Kuan. In der Darstellung des verehrten Berges Lu Shan nahe Chens Heimatstadt zeigt Shen dessen Größe und Steilheit sowie die Wasserfälle und die Wolken, die ihn fast 200 Tage im Jahr einhüllen. Der 1.500 Meter hohe Lu Shan und seine Umgebung gelten als eines der spirituellen Zentren Chinas mit vielen buddhistischen und taoistischen Tempeln und konfuzianischen Sehenswürdigkeiten. In seiner grazil detaillierten, harmonisch abgestimmten Kom-

position hat Shen mit ausdrucksvollen Pinselstrichen ein Gefühl von Textur erzeugt. Am Fuß des Berges, nahe dem Wasser, blickt ein winziger Mann nach oben – auch die Menschen sind ein kleiner Teil der Natur. Anders als im Westen dienen Gemälde in China der privaten Kontemplation, um den Geist des Betrachters zu bereichern.

Innerer Frieden

Für Shen war Malerei eine Form der Meditation und eine Erweiterung des Selbst. Viele Studien versuchten zu zeigen, wie Meditation bei gesundheitlichen Problemen, wie Bluthochdruck, Depressionen und Schlaflosigkeit helfen könnte. Sie ist schon lange als Weg akzeptiert, um Ruhe zu gewinnen, das psychologische Gleichgewicht zu verbessern und den Allgemeinzustand zu stärken. Shens Annäherung an die Malerei verlieh ihm einen ausgewogenen Geist und das Gefühl von Ruhe. Auch andere Künstler haben dies geschafft, etwa Rodin: »Kunst ist Vergeistigung. … Sie ist ein Genuss für den Verstand, der mit offenen Augen ins Universum schaut und es dadurch von neuem erschafft, dass er es mit Bewusstsein erleuchtet. Kunst ist … eine Übung für das Denken …, das die Welt zu verstehen und sie verständlich zu machen sucht.« Es ist möglich, inneren Frieden zu erlangen – ob nun dadurch, selbst Kunst zu erschaffen, oder dadurch, sich auf die Kunst anderer zu konzentrieren.

Das Hohe Bild vom Lu Shan

1467 • Tusche auf Papier, Wandbild • 193,8 x 98,1 cm • Palastmuseum, Taipeh

Barbara Hepworth »*Die Natürlichkeit des Lebens … das Gefühl von Gemeinschaft ist, glaube ich, ein wichtiger Faktor im Leben eines Künstlers.*«

Hepworths Landschaft

Die in der Künstlerkolonie St. Ives, Cornwall, lebende Barbara Hepworth (1903–1975) gewann internationale Anerkennung für ihre modernistischen Skulpturen. In ihrer Kindheit in Yorkshire gewann sie Preise für das Musizieren. Ab 1920 studierte sie Bildhauerei an der Leeds School of Art, wo sie den Bildhauer Henry Moore (1898–1986) kennenlernte. Sie setzte ihre Studien am Royal College of Art in London fort und besuchte dann Florenz und Rom. Wieder in England begann sie damit, mit Stein zu arbeiten, was damals ungewöhnlich war. 1931 traf sie den Mann, der ihr zweiter Ehemann werden würde, den Maler Ben Nicholson (1894–1982). Ab 1932 lebten und arbeiteten sie zusammen. Sie bereisten Europa und trafen avantgardistische Künstler wie Picasso und Sophie Taeuber-Arp (1889–1943). Die raue Landschaft Cornwalls und die Gesellschaft der anderen Künstler inspirierten Hepworth.

Durchbohrte Formen

Diese Skulptur, die noch vor ihrem Umzug nach St. Ives in ihrem Londoner Atelier entstand, ist eine ihrer ersten »durchbohrten« (»pierced«) Formen. Trotz ihrer Abstraktheit haben sie Verbindungen zur Natur. In ihrer Autobiografie schrieb sie:»Die geschlossene Form, wie das Oval, ob nun rund oder durchbrochen … überträgt für mich die Verbindung und Bedeutung der Geste in die Landschaft.«

In den Jahren 1925/26 hatte sie in Rom gelernt, Marmor zu bearbeiten. 1932 durchbohrte sie zum ersten Mal ihre Skulptur. Sowohl das Bearbeiten des Steins als auch die abstrakten Formen ihrer Arbeiten gaben ihr ein Gefühl von Freiheit. Diese weiße Marmorform ist eine leicht nach hinten verschobene Halbkugel, sodass die flache Oberfläche schräg hervorragt und zu sehen ist, wenn man um das Werk herumgeht.

Die Vorteile des Gruppendenkens

Seit 1885 war St. Ives in Cornwall eine beliebte Künstlerkolonie, in der Künstler und Kunststudenten unterschiedlicher Nationalitäten zusammenkamen, um zu lernen und zu malen. St. Ives, das für sein besonderes Licht und seine vier Sandstrände geschätzt wurde, war durch eine relativ neue Eisenbahnstrecke erreichbar. Die ersten Künstler waren Briten, Franzosen, Amerikaner, Finnen und Schweden, und die Kolonie erwarb sich schnell einen internationalen Ruf. Allerdings hatte ihre Beliebtheit abgenommen, als Hepworth im August 1939 eintraf. Sie half, neue Künstler anzulocken, und arbeitete sechsunddreißig Jahre unter ihnen. Es hat viele Vorteile, gemeinsam mit Freunden über Gedanken und Gefühle nachzusinnen. Freunde und Kollegen können beraten, herausfordern und Meinungen abgeben, die die Wahrnehmung schärfen und Sichtweisen weiterentwickeln können.

Pierced Hemisphere I
1937 • Marmor • 35 x 38 x 38 cm • The Hepworth Wakefield, Yorkshire, Großbritannien

Vincent van Gogh »*Ich mühe mich und strenge mich an, selbst etwas zu machen, das realistisch ist und dennoch von Gefühl.*«

Van Goghs Reisen

Vincent van Gogh (1853–1890), der zu Lebzeiten nicht geschätzt wurde, ist heute berühmt für seine Kunst und sein Leben. Geboren in den Niederlanden, nahm er zahlreiche Arbeiten an – wurde jedoch meist entlassen – und ging unpassende Romanzen ein. Ab 1880 betätigte er sich als Künstler, finanziell unterstützt von seinem Bruder Theo. Seine frühen Gemälde waren düster, doch nachdem er in Paris gelebt hatte, verkürzte er seine Pinselstriche und hellte seine Farbpalette auf. Er zog nach Arles in Südfrankreich und hoffte, dort eine Künstlergemeinschaft aufbauen zu können, doch nur Paul Gauguin (1848–1903) folgte ihm. Sie stritten und van Gogh schnitt sich ein Ohr ab. Er wurde in einer Nervenheilanstalt behandelt. 1890 zog er nach Auvers-sur-Oise. Dort erschoss er sich nach wenigen Wochen und starb zwei Tage später in Theos Armen.

Landschaft der Emotionen

Dies ist eines der berühmtesten Gemälde van Goghs. Er malte es während seines Aufenthalts in der Anstalt nahe Saint-Rémy-de-Provence. In der Nervenheilanstalt wurden bei ihm Epilepsie und Paranoia diagnostiziert. War er bei klarem Verstand, dann malte er. Dieses Bild erwuchs aus seinen Beobachtungen, seiner Fantasie, seinen Erinnerungen und Emotionen. In dem wirbelnden Impasto-Himmel stehen ein Halbmond und Sterne, umgeben von konzentrischen Kreisen aus Weiß und Gelb. Darunter kauert sich ein Dorf in die Dunkelheit; eine hohe Kirchturmspitze weist in den Himmel. Im Vordergrund reicht die flammenartige Silhouette einer Zypresse bis zum oberen Rand der Leinwand und verbindet das Land mit dem Himmel. Man könnte dies als Himmel und Erde interpretieren – oder auch als van Gogh und der Rest der Welt.

Natürliches Licht und Farbe

Vor seinem Umzug nach Arles war van Gogh noch nie so weit im Süden gewesen. Dort nahm er sich Zeit für Selbstbetrachtungen. Das Sonnenlicht erinnerte ihn an die japanischen Drucke, die er sammelte, und viele seiner Briefe aus Arles bezeugen seine Wertschätzung für das Licht und die Farben an diesem Ort. Er liebte die lebendigen Töne der Landschaft und brachte lange Tage damit zu, im Freien zu malen und die Gelb-, Orange-, Blau- und Grüntöne auf seine Leinwände zu bringen. In der Heilanstalt hatte er sogar noch mehr Zeit, um über sich nachzudenken, und malte zahllose Bilder. Obwohl diese Szene die Zeit direkt vor Tagesanbruch festhält, strebte er darin nach dem strahlenden Gelbton – lebhafte Farbe und Emotion in perfektem Einklang. Gelb bedeutete für ihn Leben und Energie.

Sternennacht
1889 • Öl auf Leinwand • 73,7 x 92,1 cm • Museum of Modern Art, New York, USA

Albrecht Dürer »*Ich werde das Wenige, das ich gelernt habe, in den Tag hinaustragen lassen, damit jemand, der besser ist als ich, die Wahrheit erraten ... kann.*«

Revolutionäre Druckgrafik

Der Maler, Grafiker, Bauzeichner und Kunsttheoretiker Albrecht Dürer (1471–1528) wurde in Nürnberg geboren, damals ein wichtiges Zentrum für Kunst und Handel. Nach einer ersten Ausbildung bei seinem Vater ging er bei dem Maler und Holzschnittmeister Michael Wolgemut (1434–1519) in die Lehre. In Italien lernte er die Renaissance kennen. Berühmt wurde er für seine Malerei, besonders aber für seine Holzschnitte, die er durch den Einsatz von Kontrasten und Drama revolutionierte. Er schrieb mehrere Bücher, darunter sein Hauptwerk *Vier Bücher von menschlicher Proportion* (1528). Seine Fähigkeiten, Ambitionen und seine Intelligenz zogen die Aufmerksamkeit einiger wichtiger Repräsentanten der damaligen Gesellschaft an. Er stand in der Gunst des Kaisers Maximilian I. und seines Nachfolgers Karl V. und schuf Porträts einiger der bekanntesten Menschen seiner Zeit.

Verborgene Gedanken

Dieses Bild, einer der drei großen Drucke, die als Dürers *Meisterstiche* bekannt sind, stellt die verborgenen Gedanken des Künstlers dar. Die mittelalterliche Philosophie ging davon aus, dass jeder Mensch durch eines von vier Temperamenten kontrolliert wird. Das unangenehmste von ihnen war die Melancholie, die mit der schwarzen »Galle« assoziiert wurde. Man glaubte, Melancholiker neigten zum Wahnsinn, könnten aber auch kreative Genies sein. Die Melancholie wird durch eine geflügelte Frau verkörpert, die den Kopf in die Hand gestützt hat. Sie hat ein geschlossenes Buch im Schoß, hält einen Zirkel und ist von Werkzeugen und geometrischen Instrumenten umgeben. Hinter ihr ist ein fensterloses Gebäude zu sehen, an dem eine Leiter lehnt. Ein Cherub kritzelt auf einer Tafel herum.

Inspiration gewinnen

Zu Dürers Zeiten glaubte man, die Kunst entspringe der Fantasie, die eine der drei Kategorien des Genies war. Die Melancholie als eines der vier Temperamente sollte Depressionen verursachen und manchmal Halluzinationen und Wahnvorstellungen auslösen. Dieser Stich wurde als personifizierte Melancholie interpretiert, die auf Inspiration wartet, und nicht als ein Bild der Depression. Viele Renaissance-Denker verknüpften den Zustand der Melancholie mit der kreativen Fantasie und glaubten, dass Künstler Zeit für die Kontemplation aufwenden müssten, damit sich ihre schöpferischen Gedanken bilden könnten. Es ist schon lange anerkannt, das Selbstreflexion der geistigen Gesundheit dienen und zu Inspiration führen kann. Um Selbstbetrachtung auf diese Weise zu nutzen, sollten Sie sich auf positive Erinnerungen besinnen, statt sich zu sorgen, was schiefgelaufen sein könnte.

Melencolia I
1514 • Kupferstich • 24 x 18,5 cm • The Metropolitan Museum of Art, New York, USA

Aaron Douglas »Machen wir das Unmögliche. Erschaffen wir etwas transzendent Materielles, mystisch Objektives. Irdisches. Spirituell Irdisches. Dynamisches.«

Die Harlem-Renaissance

Der Maler, Illustrator und Lehrer Aaron Douglas (1899–1979) war eine Schlüsselfigur der Harlem-Renaissance. Sein reduzierter Stil handelt von den Erfahrungen der Afroamerikaner, speziell der Rassentrennung. Douglas, der aus Topeka, Kansas, stammte, studierte an der University of Nebraska und unterrichtete dann in Kansas City. 1925 zog er nach Harlem, New York, wo er Wandbilder für öffentliche Gebäude sowie Illustrationen und Coverdesigns für verschiedene schwarze Publikationen herstellte. Später malte er Wandbilder für die Fisk University in Nashville, Tennessee, sowie in Chicago und Dallas. Nach einem Jahr in Paris ging er nach Harlem zurück, wo er wieder Wandbilder schuf und durch die von ihm mitbegründete Harlem Artist Guild junge afroamerikanische Künstler unterstützte. 1944 gründete er an der Fisk University den Fachbereich Kunst, an dem er dann mehrere Jahrzehnte lang lehrte.

Gottes Posaunen

Während der 1920er- und 30er-Jahre gab es unter Afroamerikanern einen ungeheuren Ausbruch kreativer Aktivität in allen Kunstrichtungen. Douglas war einer der Vorreiter dieser sogenannten Harlem-Renaissance. Sein Malstil vereint Elemente aus Art déco, altägyptischer und afrikanischer Kunst, Modernismus und Jazz. Viele seiner Figuren sind gesichtslose, durchscheinende Silhouetten. Das hier gezeigte Bild ist die letzte von acht Illustrationen für eine Gedichtsammlung von James Weldon Johnson (1871–1938), *God's Trombones: Seven Negro Sermons in Verse* (1927). Die größte Figur, der Erzengel Gabriel als Person of Color, steht mit einem Fuß auf der Erde, dem anderen auf dem Meer und ruft mit seiner Posaune die Lebenden und die Toten zum Jüngsten Gericht. Die kleineren Figuren repräsentieren die Menschheit.

Spirituelle Emanzipation

Die Zeit zwischen etwa 1916 und 1970 wird Great Migration genannt. Etwa sechs Millionen Afroamerikaner zogen aus dem ländlichen Süden der USA in die Städte des Nordens, Westens und Mittleren Westens, um Arbeit zu finden und den Gesetzen der Rassentrennung zu entkommen. Es entwickelte sich eine neue urbane afroamerikanische Kultur. In Folge der Harlem-Renaissance machten sich immer mehr Afroamerikaner ihre Umstände bewusst. In seinem Buch *The New Negro* (1925) beobachtete der Philosoph und Kunstförderer Alain LeRoy Locke (1885–1954), dass »wir etwas wie eine spirituelle Emanzipation erleben«. Angesichts der sich wandelnden Welt wurden sich diese Bewohner Harlems der Diskriminierung besonders bewusst und versicherten sich ihrer Identität. Douglas feierte sein Erbe durch seine Kunst, eine Praxis, die zu einer Reflexion über Identität, Erbe und das Selbst anregen könnte.

The Judgement Day
1939 • Öl auf Hartfaser • 121,9 x 91,4 cm
National Gallery of Art, Washington, DC, USA

Selbst-reflexion anregen

Jan Vermeer »*Durch die Kunst nur vermögen wir aus uns herauszutreten und uns bewusst zu werden, wie ein anderer das Universum sieht.*« Marcel Proust

Vermeers Licht

Trotz der Kürze seiner Karriere, der Tatsache, dass er seine Heimatstadt Delft nie verlassen hat, und der relativ wenigen Werke aus seiner Hand gilt Jan Vermeer (1632–1675) als einer der größten Meister der niederländischen Kunst des 17. Jahrhunderts, des sogenannten Goldenen Zeitalters der Niederlande. Über sein Leben und seine Ausbildung ist wenig bekannt. Vermutlich ging er bei mehreren Künstlern in die Lehre und arbeitete außerdem als Kunsthändler. Mit siebenundzwanzig Jahren wurde er in die St.-Lukas-Gilde, eine Künstlergenossenschaft, aufgenommen. Seine ersten Werke waren großformatige biblische und mythologische Szenen. Später malte er kleine lichtdurchflutete Genrebilder. Er arbeitete langsam, benutzte teure Pigmente und kaum wahrnehmbare Pinselstriche. Hoch verschuldet starb er mit nur siebenundvierzig Jahren. Er hinterließ seine Frau und elf Kinder.

Ein nachdenklicher Augenblick

Eine Frau in einer pelzgesäumten blauen Jacke steht an einem Tisch in der Zimmerecke. Auf dem Tisch befinden sich ein blaues Tuch und ein offener Schmuckkasten mit zwei Reihen aufgefädelter Perlen und einer Goldkette. Die Waage in ihrer rechten Hand ist im Gleichgewicht, was auf ihren mentalen Zustand hinweist. Hinter ihr an der Wand hängt ein großes, schwarz gerahmtes Gemälde des Jüngsten Gerichts, durch das Fenster fällt sanftes Licht. Es ist ein persönlicher, nachdenklicher Augenblick. Angesichts von Vermeers Katholizismus lassen das Jüngste Gericht und die Waage vermuten, dass die Frau ihr Gewissen erkundet. Die Gegenüberstellung von materiellen Gütern (Gold und Perlen) und dem biblischen Gemälde erinnert den Betrachter an die schrecklichen Konsequenzen von Materialismus und Gier.

Selbsterkenntnis

In vielen Religionen erforscht man sein Gewissen und Verhalten, um wertvolle und wirksame Entscheidungen im Leben zu treffen. *Frau mit Waage* ist eine Allegorie, die den Betrachter auffordert, mit Bedacht, Freundlichkeit und Mitgefühl zu handeln, und nicht gierig zu sein oder sich auf weltliche Dinge zu fokussieren. Die Frau ist schwanger, was andeuten könnte, dass wir Verantwortung gegenüber künftigen Generationen tragen. Das Gemälde ist eine Anleitung zur Kontemplation, eine Ermutigung, ein rücksichtsvolles Leben zu führen. Manche Wissenschaftler nehmen an, dass der Spiegel an der Wand die Selbsterkenntnis der Frau wiedergibt. Wir können durch Selbstbetrachtung zu Selbsterkenntnis gelangen, das heißt, die Gründe für unser Denken, Fühlen und Handeln erkennen. Indem wir uns bewusst werden, was uns antreibt, können wir Änderungen machen, die unser Leben verbessern.

Frau mit Waage

ca. 1664 • Öl auf Leinwand • 39,7 x 35,5 cm

National Gallery of Art, Washington, DC, USA

Empathie lernen

Pädagogen nutzen Kunst und Geisteswissenschaften schon lange, um Empathie zu lehren. Diese ist definiert als die »Fähigkeit und Bereitschaft, die Gefühle oder Erfahrungen einer anderen Person nachzuempfinden, indem man sich vorstellt, wie es wäre, in deren Lage zu sein«. Der Begriff entstand allerdings erst Ende des 19. Jahrhunderts, eingeführt von dem Arzt Wilhelm Wundt (1832–1920), einem der Mitbegründer der modernen Psychologie, und dem Philosophen Theodor Lipps (1851–1914). Lipps sagte, dass Empathie durch den Akt des Beobachtens im Zuschauer ausgelöst würde. Der anglokanadische Psychologe und Schriftsteller Professor Keith Oatley von der University of Toronto untersuchte, wie Leser und Zuschauer Empathie aus Romanen und Kunst lernen. »Mit der Empathie hat man eine Emotion, die ähnlich ist zu der eines anderen, und spürt etwas von den inneren Erfahrungen dieser Person. Psychologische Forschungen haben gezeigt, dass die Literatur es Menschen erlaubt, ihre Empathie und ihre Verständnis für andere zu steigern, und das geschieht wahrscheinlich auch mit Gemälden und Skulpturen, die Menschen in Zuständen von Freude, Verwirrung und Angst darstellen.« Sie werden überrascht sein, wie Künstler Empathie im Betrachter wecken. Wir werden uns hier Beispiele anschauen, unter anderem von Kara Walker, Elizabeth Catlett und Henry Ossawa Tanner.

The Jubilant Martyrs of Obsolescence and Ruin
(Detail) von Kara Walker; siehe Seite 117.

Henry Ossawa Tanner »*Mein Bestreben war … mit einer menschlichen Note meinem Publikum die Ehrfurcht und Erhebung zu vermitteln, die diese Themen auf mich ausüben.*«

Tanners Auszeichnungen

Henry Ossawa Tanner (1859–1937), der erste afroamerikanische Maler, der internationale Anerkennung gewann, wurde in Pittsburgh geboren und wuchs in Philadelphia auf. Er studierte an der Pennsylvania Academy of the Fine Arts unter dem bekannten Maler Thomas Eakins (1844–1916). 1891 zog er nach Paris, wo er für den Rest seines Lebens blieb und Teil der Künstlergemeinschaft wurde. Sein Werk wurde im renommierten Salon akzeptiert, und der amerikanische Warenhausbesitzer und Kunstmäzen Rodman Wanamaker (1863–1928) finanzierte ihm eine Reise in den Nahen Osten. Während des 1. Weltkriegs arbeitete Tanner für das Public Information Department des amerikanischen Roten Kreuzes und malte die afroamerikanischen Truppen. 1923 erhielt er den höchsten französischen Orden und wurde zum Ritter der Ehrenlegion ernannt.

Biblischer Realismus

Kurz nach seiner Rückkehr aus dem Nahen Osten im Jahre 1897 malte Tanner, der Sohn eines Predigers der African Methodist Episcopal Church, dieses ungewöhnliche Bild des Augenblicks, in dem der Erzengel Gabriel Maria verkündet, dass sie den Sohn Gottes gebären werde. Maria ist eine arme, junge jüdische Frau, gekleidet in das Gewand nahöstlicher Bauern, ohne Heiligenschein. Gabriel erscheint als Säule aus Licht. Für einen realistischen Maler war die Darstellung des Übernatürlichen eine Herausforderung, Tanner malte den Engel und Maria so, wie er sie sich vorstellte. Anders als in den meisten früheren christlichen Darstellungen hat Maria dunkle Haare und die im Nahen Osten verbreitete Hautfarbe. Ihr Bett ist zerwühlt und der Raum wirkt kahl – ganz anders als die sonst übliche Opulenz.

Mitgefühl erregen

Die Empathie, die Tanner durch seine religiösen Geschichten vermittelt, ist greifbar. Als Mann, der mit Rassismus und Vorurteilen aufwuchs, porträtierte er Maria nicht als Weiße wie die meisten europäischen Künstler vor ihm, sondern überlegte, wie sie tatsächlich ausgesehen haben und wie arm sie gewesen sein könnte. In diesem und seinen anderen Werken demonstriert er seine Empathie mit der Lage seiner Figuren. Tanner war einer der ersten afroamerikanischen Kunststudenten – neben einigen der ersten Studentinnen – in Amerika. Alle waren bei Eakins willkommen. Man ermutigte ihn, realistisch zu malen, und er bemühte sich, neben einem lebensnahem Aussehen die menschliche Natur und Gefühle festzuhalten. Seine Bildwelt fordert uns auf, Mitgefühl für seine Charaktere zu empfinden und uns die biblischen Geschichten so vorzustellen, wie sie wirklich geschehen sein könnten.

Die Verkündigung
1898 • Öl auf Leinwand • 144,8 x 181 cm
Philadelphia Museum of Art, Pennsylvania, USA

John Singer Sargent »*Ich bitte dich, mir zu schreiben; es wäre wirklich schmerzvoll für mich, so etwas wie deine Freundschaft zu verlieren, die mir sehr wertvoll ist.*«

Lebhafte Pinseltechnik

Der in Florenz als Sohn ausgewanderter Amerikaner geborene John Singer Sargent (1856–1925) kam erst mit zwanzig Jahren das erste Mal in die USA. Seine Kindheit verbrachte er gemeinsam mit seinen Eltern in verschiedenen europäischen Ländern. Er lernte Französisch, Italienisch und Deutsch, Klavierspielen, Tanzen und Zeichnen. Mit achtzehn begann er eine Ausbildung bei dem gefeierten französischen Maler Carolus-Duran (1837–1917) und besuchte gleichzeitig die École des Beaux-Arts in Paris. Carolus-Duran lehrte ihn die lebhafte Pinseltechnik des spanischen Künstlers Diego Velázquez. Sargent wurde vom Impressionismus beeinflusst und entwickelte sich zu einem der führenden Porträtmaler seiner Zeit, der aber auch für seine Landschaften, Aquarelle und Wandbilder in mehreren öffentlichen Gebäuden in den USA bewundert wurde. Er reiste oft und weit und hatte viele wohlhabende und einflussreiche Freunde.

Ein schockierender Angriff

Sargent war im Auftrag der britischen Regierung im Juli 1918 an die Westfront gereist, um den Krieg im Bild festzuhalten. Anstatt jedoch eine Schlachtenszene zu malen, stellte er die schockierenden Nachwirkungen eines Senfgasangriffes dar. Unterstützt von zwei medizinischen Hilfskräften, stolpert eine Reihe verwundeter Soldaten, die sich aneinander festhalten, auf die Versorgungsstation zu. Ihre Augen sind nach dem Kontakt mit dem Gas erblindet und verbunden, ein Mann wendet sich ab, um sich zu erbrechen. In der Ferne sieht man eine ähnliche Reihe von Soldaten sowie eine Gruppe unverletzter Männer, die Fußball spielen. Flugzeuge kämpfen im Himmel über ihnen und im Vordergrund liegen kreuz und quer weitere Verwundete.

Sich lebendig fühlen

Man kann angesichts des mitleiderregenden Anblicks der jungen Soldaten kaum unbewegt bleiben. Senfgas, das die Deutschen ab 1917 einsetzten, verursachte Blasen, Verbrennungen, Blutungen, Husten, Durchfall, Erbrechen und Fieber. Die Augen juckten und erblindeten zeitweise. Manche Männer starben sofort, andere erst Monate später. Sargent enthüllt hier die Realität des Krieges und die schrecklichen Auswirkungen chemischer Waffen, aber auch die Art, wie die Männer einander halfen. Sie sind hilflos und gebrochen. Der Künstler bemühte sich, eine starke emotionale Reaktion in seinen Zuschauern auszulösen. Es ist ein machtvolles, schockierendes Bild, und durch die Art, wie es Empathie – eigentlich eher einen Schock – provoziert, mahnt es uns, uns anderen mehr bewusst zu sein, unser Leben zu schätzen und die Folgen unseres Handelns zu bedenken.

Vergast
1919 • Öl auf Leinwand • 231 x 611 cm • Imperial War Museum, London, Großbritannien

Empathie
lernen

Kara Walker »*Ich wollte ein Werk schaffen, bei dem der Betrachter nicht wegläuft.*«

Gesellschaftliche Probleme untersuchen

Kara Walker (geb. 1969) ist berühmt für ihre großen Kunstwerke, vor allem ihre schwarzen Papiersilhouetten, die Fragen von Geschlecht, Rasse und schwarzer Geschichte behandeln. Die amerikanische Künstlerin und Professorin trat in die Fußstapfen ihres Vaters, ebenfalls Künstler und Professor. Nach einer Kindheit in Kalifornien zog sie mit ihrer Familie mit dreizehn Jahren nach Atlanta. Sie studierte am Atlanta College of Art sowie der Rhode Island School of Design in Providence und begann, sich mit der Geschichte der amerikanischen Sklaverei auseinanderzusetzen. Für ihre beunruhigende Bilderwelt nutzt sie Medien wie Papier, Gouache, Wasserfarbe, Videoanimationen, Schattenfiguren, Projektionen und riesige skulpturenartige Installationen. Ihre schockierenden Bilder von rassistischen Stereotypen heben Probleme hervor und erregen Aufmerksamkeit.

Silhouette

Walkers wandgroßer Scherenschnitt zeigt die Schrecken des Amerikanischen Bürgerkrieges (1861–65). Die Figuren schwingen Schwerter, Flaggen, Körperteile und Peitschen. Mittels Satire und Stereotypen zeichnet das dramatische Bild die Geschichte von Rassismus und Gewalt in Amerika. Unter den Figuren sind General Robert E. Lee und eine Frau, die auf einem Haufen amputierter Gliedmaßen steht

und eine gebratene Hühnerkeule sowie eine zerfetzte Fahne festhält; eine Frau mit verbundenen Augen, vielleicht eine Allegorie auf die Gerechtigkeit, lockt ein Maultier mit einer Karotte. Auf dem Maultier reitet Reverend Martin Luther King Jr., der Bürgerrechtsaktivist aus Atlanta, während ein Bürgerkriegssoldat eine Flagge aufpflanzt oder vielleicht auf eine junge Frau einsticht.

Mitgefühl und Verständnis

In ihren Werken greift Walker wichtige Themen auf und will sowohl inspirieren als auch verunsichern. Sie spricht die immer noch vorhandenen Vorurteile und Diskriminierung an und definiert ihr eigenes Erbe, statt es einfach zu akzeptieren. Ihre Kunst zerlegt viele romantisierende Vorstellungen von der Vergangenheit und enthüllt die Realität und speziell die vorherrschenden Narrative in der amerikanischen Geschichte. Provokativ und emotional schockiert sie die Betrachter aus ihrer Selbstgefälligkeit und erzwingt eine Neubewertung vergangener Ereignisse und menschlicher Gefühle. Wenn Kunst ihre Betrachter auf diese Art provoziert, dann ist sie in der Lage, sie die Welt in einem neuen Licht sehen zu lassen; möglicherweise suchen sie weitere Informationen oder engagieren sich stärker. Historische Fakten – etwa über den Bürgerkrieg –, die künstlerisch vermittelt werden, wecken Mitgefühl und emotionales Verständnis, die sonst möglicherweise unterdrückt geblieben wären.

The Jubilant Martyrs of Obsolescence and Ruin
2015 • Wandgroßer Scherenschnitt • 420 x 1775 cm • High Museum of Art, Atlanta, USA

Elizabeth Catlett *»Der Künstler muss ein integraler Bestandteil der Gesamtheit der schwarzen Menschen sein.«*

Rasse und Feminismus

Die afroamerikanische Künstlerin Elizabeth Catlett (1915–2012), deren Skulpturen, Gemälde und Drucke Themen von Rasse und Feminismus behandelten, konzentrierte sich besonders auf die Kämpfe der afroamerikanischen Bevölkerung in den USA während des 20. Jahrhunderts. Ihre Kunst ist eine Melange aus Modernismus, Primitivismus und Kubismus. Catlett, die in Washington, DC, geboren wurde, hatte ein Stipendium des Carnegie Institute of Technology in Pittsburgh, das zurückgezogen wurde, als man entdeckte, dass sie afroamerikanisch war. Sie studierte daher an der Howard University in Washington sowie der University of Iowa unter dem regionalistischen Künstler Grant Wood (1891–1942). In den 1940er-Jahren arbeitete sie in Mexiko und schuf, inspiriert von Diego Rivera, Bilder, die die Widrigkeiten zeigten, welche afroamerikanische Frauen zu erdulden hatten. Ab 1975 lebte und arbeitete sie sowohl in Mexiko als auch in New York.

Energisch und würdevoll

1946 zog sie nach Mexiko und entkam damit den US-amerikanischen Jim-Crow-Gesetzen. In Mexiko-Stadt trat sie der einflussreichen und progressiven Künstlervereinigung Taller de Gráfica Popular bei. In ihrer Kindheit hatte sie die Sommer bei ihren armen Großeltern in North Carolina verbracht. Dort sah sie Menschen, die in extremer Armut lebten

und arbeiteten. Sie begann, Bilder von energischen, würdevollen Frauen zu erschaffen, in denen sie Sozialrealismus mit Einflüssen afrikanischer und mexikanischer Kunsttraditionen verband, um die Erfahrungen vieler Afroamerikaner festzuhalten. Nach dem Amerikanischen Bürgerkrieg wurden viele frühere Sklaven zu Pächtern, die mit einem Teil ihrer Ernte für ihr Pachtland bezahlten. Das System ließ ihnen jedoch nur ein winziges Einkommen, sodass viele in der Armut gefangen blieben.

Widrigkeiten abwehren

Auch wenn die Ungleichheiten, die Catletts Arbeiten aufdecken, oft weiter bestehen, ließ ihr Glaube an die Macht der Kunst, Änderungen und Reformen zu bewirken, niemals nach. Das hier gezeigte Porträt der eleganten Arbeiterin vermittelt die Hoffnung, dass die Grenzen zwischen Rassen, Geschlechtern und Klassen niedergerissen werden können. Sie versuchte bewusst, die Empathie der Betrachter zu wecken, nicht jedoch ihr Mitleid. Stolz ist ein wichtiger Aspekt ihres Lebens und ihrer Arbeit. Dieser Linolschnitt fordert ebenso wie ihre anderen Arbeiten Respekt ein; die Frau ist anonym, repräsentiert aber alle Pächter und vermittelt Ehrbarkeit. Dies weckt beim Betrachter Verständnis, Mitgefühl und eine gewisse Motivation, vor allem unter Frauen und People of Color. Ihr Leben lang trat Catlett unermüdlich für die Menschenrechtsbewegung ein.

Sharecropper

1952 • Linolschnitt • 56,2 x 48,3 cm

Philadelphia Museum of Art, Pennsylvania, USA

Amrita Sher-Gil *»Diese kleinen Kompositionen sind der Ausdruck meines Glücks und deshalb mag ich sie wahrscheinlich besonders.«*

Westliche und östliche Einflüsse

Amrita Sher-Gil (1913–1941) war ungarisch-indischer Herkunft und wurde in Budapest geboren. Als sie neun war, zog sie mit ihrer Familie nach Shimla, Indien. Zwei Jahre später reiste ihre Mutter mit ihr nach Florenz, um ihr die Renaissance-Kunst nahezubringen. Mit sechzehn Jahren begann sie, in Paris Malerei zu studieren, zuerst an der Académie de la Grande Chaumière, später an der École des Beaux-Arts (1930–34). Sie wurde von Paul Cézanne (1839–1906) und Paul Gauguin sowie von den Wandgemälden des westlichen Indiens beeinflusst. In Paris gewann sie Preise, darunter eine Goldmedaille, und sie war die jüngste Person und einzige Asiatin, die jemals zu einem Mitglied des Grand Salon berufen wurde. Mit Anfang zwanzig kehrte sie nach Indien zurück, wo sie mit nur achtundzwanzig Jahren plötzlich und unerwartet verstarb.

Ihrem Schicksal entgegentreten

Dieses Gemälde war das erste, das sie nach ihrer Rückkehr nach Indien malte. Sie gewann dafür eine Goldmedaille der Bombay Art Society. Sher-Gil verknüpfte in ihrem Werk europäische und indische Kunsttraditionen. In Indien beobachtete sie das Leben und vor allem die Menschen um sie herum voller Mitgefühl. Drei farbenfroh gekleidete junge Frauen an der Schwelle zum Erwachsensein und zur Ehe denken über ihr Schicksal nach. Vermutlich haben sie keine Wahl

hinsichtlich ihrer Zukunft. Sher-Gil schrieb: »Ich erkannte meinen künstlerischen Auftrag: das Leben der Inder und speziell der armen Inder bildlich zu interpretieren; diese stillen Bilder unendlicher Unterwerfung und Geduld zu malen, um auf der Leinwand den Eindruck zu reproduzieren, den diese traurigen Augen bei mir hinterließen.« Die Lage der Mädchen wird allein durch ihre Gesichter und ihre Körpersprache klar.

Das Verständnis vertiefen

Bei der Darstellung der Konventionen der indischen Gesellschaft bewies Sher-Gil ihre Anteilnahme mit ihren Modellen und ihr Mitgefühl für die Benachteiligten. Ihre Bilder sind machtvolle Repräsentationen des menschlichen Befindens und artikulieren einige Härten im Leben der Inder. Sie kam zwar selbst aus einer privilegierten Familie, hatte aber Verständnis für die, die sich oft schwierigen gesellschaftlichen Normen beugen mussten. Die nachdenklichen Blicke der Mädchen wecken Empathie, können aber auch unbehaglich sein. Sher-Gil, eine junge Künstlerin, genoß ganz andere Möglichkeiten; durch die Darstellung dieser Frauen löst sie bei den Betrachtern Verständnis für die Komplexität der Erfahrungen anderer Menschen aus. Kunst dieser Art kann Menschen ermutigen, sich aus ihrem Erfahrungsfeld zu entfernen, toleranter gegenüber anderen Leben zu sein und weniger schnell zu urteilen.

Gruppe mit drei Mädchen
1935 • Öl auf Leinwand • 92,8 x 66,5 cm
National Gallery of Modern Art, Neu-Dehli, Indien

Mary Cassatt »Ich habe einige Menschen mit einem Gefühl für Kunst berührt – sie haben die Liebe und das Leben gespürt.«

Eine amerikanische Impressionistin

Als Kind lebte die in Pittsburgh geborene Mary Cassatt (1844–1926) mit ihrer Familie in Frankreich und Deutschland. Mit sechzehn studierte sie an der Pennsylvania Academy of Fine Arts, zog dann nach Paris und lernte bei Jean-Léon Gérôme (1824–1904). In Paris blieb sie fast ihr Leben lang. In den frühen 1870er-Jahren reiste sie durch Europa und wurde durch die europäischen Kunsttraditionen, besonders den Impressionismus und den Einfluss der japanischen Kunst inspiriert. Sie arbeitete mit verschiedenen Medien und stellte am renommierten Pariser Salon aus. Edgar Degas lud sie zu den Impressionisten ein. Sie war dort die einzige Amerikanerin und machte den Impressionismus in Amerika bekannt. 1904 wurde sie von der französischen Regierung in Anerkennung ihrer Kunst zum Ritter der Ehrenlegion ernannt.

Mutter und Kind

Eine Frau und ein nacktes Kind schauen auf das Gesicht des Kindes in einem kleinen runden Spiegel. Der große Spiegel hinter den beiden erzeugt Bilder in Bildern. 1867 trugen zwei Suffragetten in Kansas bei ihrem Kampf für das Wahlrecht der Frauen Sonnenblumenplaketten. Ab da wurde die Farbe Gelb oft als Symbol für die Suffragettenbewegung verwendet. Die Sonnenblume ist außerdem die Staatsblume von Kansas. Mutter und Kind sind sich hier körperlich und geistig nahe,

was auch durch ihre ähnlichen Hautfarben verdeutlicht wird. Die begrenzte Palette und die ungewöhnlich schräg angeordnete Komposition zeigen den Einfluss der japanischen Kunst, während der lockere Farbauftrag auf Cassatts Beschäftigung mit dem Impressionismus verweist.

Einfühlung

Cassatt malte gern Mütter und ihre Kinder. Entschlossen, jede Sentimentalität zu vermeiden, verwendete sie Familie und Freunde als Modelle, sodass keine Befangenheit aufkam. In einem Widerhall der christlichen Tradition von Madonna und Kind und der Stärke der Gefühle einer Mutter für ihre Kinder verkörpert dieses Bild Zärtlichkeit. Vier Jahre, nachdem Cassatt dieses Werk geschaffen hatte, führte der britische Psychologe Edward Titchener (1867–1927) das Wort »empathy« als Übersetzung des deutschen Wortes *Einfühlung* ein. *Einfühlung* war 1873 von dem deutschen Philosophen Robert Vischer (1847–1933) geprägt worden, als er die menschliche Fähigkeit untersuchte, ein Werk der Kunst oder Literatur zu sehen oder zu lesen und das zu fühlen, was der Autor oder Künstler beschreibt. Cassatts Darstellung der intensiven Verbindung zwischen Mutter und Kind ist ein schönes Beispiel für diese Dynamik. Die Farben geben dem Gemälde eine Wärme, die seinen emotionalen Grundton verstärkt.

Frau mit einer Sonnenblume
ca. 1905 • Öl auf Leinwand • 92,1 x 73,7 cm
National Gallery of Art, Washington, DC, USA

Inspiration erleben

Als Paul Klee schrieb »Kunst gibt nicht das Sichtbare wieder, sondern macht sichtbar«, verwies er auf die Fähigkeit der Kunst, ihre Betrachter zu inspirieren. Entsprechend beschreiben Menschen manchmal die Erfahrung »sich in einem Kunstwerk zu verlieren«, geistig in ihre Fantasien transportiert zu werden und damit ihre aktuelle Zeit und ihren Ort zu verlassen.

Kunst kann Erinnerungen, Verbindungen, aber auch solche Dinge wie Neugier, Staunen, Angst oder Glück heraufbeschwören. Sie kann zu Fragen, Beobachtungen und Einblicken anregen oder Aktionen für eine gesellschaftliche oder eine persönliche Sache inspirieren. Visuelle Stimuli können außerordentlich machtvoll sein, und Kunst kann das Denken in unerwartete Richtungen ziehen, Konzepte aus neuen Blickwinkeln beleuchten, Perspektiven eröffnen oder Assoziationen auslösen. Die in diesem Kapitel betrachteten Künstler sind Jan van Eyck, Joaquín Sorolla, Henri Rousseau, Andy Warhol, Paula Rego und Lubaina Himid. Jedes der hier besprochenen Werke besitzt die Fähigkeit, auf verschiedene Arten zu inspirieren: Sie zeigen imaginäre oder reale Orte, stimulieren Erinnerungen oder regen die Betrachter an, darüber nachzudenken, wie sie die Welt sehen und auf sie reagieren. Diese Künstler laden das Publikum ein, die Bereiche ihrer Schöpfung zu betreten und sich inspirieren zu lassen – falls wir dies erlauben.

Genter Altar (Detail) von
Jan van Eyck; siehe Seite 131.

Henri Rousseau »Nichts macht mich so glücklich, wie die Natur zu beobachten und zu malen, was ich sehe.«

Ungeschult und schlicht

Henri Rousseau (1844–1910) wurde zeit seines Lebens als ungeschulter »Sonntagsmaler« verspottet. Dennoch inspirierte er Künstler wie Picasso und Wassily Kandinsky, die seinen naiven Malstil bewunderten. Er wuchs in Nordwestfrankreich in einer Familie auf, die ständig in finanziellen Nöten steckte. Nach vier Jahren in der französischen Armee arbeitete er in Paris, wo er für die Zollbehörde Waren überprüfte, was ihm den Spitznamen »Le Douanier« (Der Zöllner) einbrachte. In dieser Zeit, im Alter von vierzig Jahren, begann er zu zeichnen und zu malen. Zunächst erwarb er eine Lizenz zum Kopieren von Gemälden im Louvre, mit neunundvierzig wurde er zum Vollzeitmaler. Obwohl er andere Künstler mit ausgesprochen realistischen Stilen bewunderte, war seine Technik ungeschult und schlicht.

Gefletschte Zähne im hohen Gras

Dies ist Rousseaus erstes Dschungelgemälde. Insgesamt malte er etwa 20 vergleichbare Bilder. Ein großäugiger Tiger mit gefletschten Zähnen kauert im hohen Gras, um ihn herum gebeugte Bäume, peitschender Regen und ein düsterer Himmel. Rousseau behauptete zwar, das Bild aus der Erinnerung heraus gemalt zu haben, hatte aber Frankreich niemals verlassen und hielt sich stattdessen an Referenzen aus Bibliotheksbüchern sowie den Jardin des Plantes in Paris. Als Vorlage für die Pflanzen dienten ihm sowohl tropische als auch Zimmerpflanzen und der Tiger beruht vermutlich – was die nicht ganz exakten Proportionen und die eigenartigen Züge verraten – auf ausgestopften Tieren aus der zoologischen Sammlung des Jardin des Plantes. Rousseau sagte später, dass der Tiger sich an eine Gruppe nicht zu sehender Entdecker heranpirsche.

Eine sorglose Jugend

Als dieses Gemälde 1891 auf dem Salon des Indépendants in Paris ausgestellt wurde, verspotteten Kritiker seine Eigenarten, darunter den seltsamen Tiger und die Vegetation sowie die kindlich anmutenden Regenstreifen. Neben den erwähnten Quellen zog Rousseau seine Inspiration vermutlich aus japanischen Holzschnitten und den Gemälden von Eugène Delacroix (1798–1863). Doch auch wenn viele die Nase rümpften, lobten avantgardistische Künstler Rousseaus Werk als naive Kunst und seine bahnbrechende, schlichte Technik inspirierte neue Herangehensweisen. Sein Mangel an Konvention wurde von den Surrealisten gefeiert und aufgenommen, deren fantasievolle, traumartige Motive Rousseaus Ansatz widerspiegeln. Rousseaus Kunst spricht den jungen, sorglosen Teil des Selbst an, den Erwachsene oft vergessen. Dieser erlaubt es, in die Fantasie ihres unschuldigen früheren Selbst zu springen, um die Welt wieder mit frischen Augen zu sehen, von Sorgen oder Enttäuschung unbeeinträchtigt.

Überrascht! Gewitter im Urwald

1891 • Öl auf Leinwand • 130 x 162 cm • The National Gallery, London, Großbritannien

Joaquín Sorolla *»In solchen Momenten sind mir Materialien, Stile, Regeln nicht bewusst, nichts steht zwischen meiner Wahrnehmung und dem wahrgenommenen Objekt oder Gedanken.«*

Sonnige Küstenszenen

Joaquín Sorolla (1863–1923) wuchs nach dem Tod seiner Eltern bei einer Cholera-Epidemie bei Verwandten in Valencia auf. Mit fünfzehn begann er, Kunst zu studieren, später erhielt er ein Stipendium für die Spanische Akademie in Rom. Wieder in Spanien wurde sein impressionistischer Malstil außerordentlich populär. 1900 wurde er zum Ritter der Ehrenlegion ernannt und gewann eine Medaille auf der Pariser Weltausstellung. Außerdem wurde er Mitglied der Kunstakademien von Paris, Lissabon, Valencia und Madrid und hatte 1909 eine Einzelausstellung an der Hispanic Society von New York City, nach der er beauftragt wurde, den Präsidenten zu malen. Nach seiner Rückkehr nach Valencia kaufte er ein Strandhaus und bezog für den Rest seines Lebens seine Inspiration vom Leben an der Mittelmeerküste.

Meer und Felsen

Wie viele seiner Bilder entstand auch dies im Freien von einem erhöhten Punkt aus. Ihm liegt kein Narrativ zugrunde, was einer der Unterschiede zum französischen Impressionismus war. Mit Impasto-Farben und energischen Pinselstrichen deutet Sorolla einen flüchtigen Augenblick an. Er konzentriert sich auf das von den Körpern und dem Wasser reflektierte Licht und die Schatten im Sand und beschränkt sich auf Weiß- und Blautöne. Dieses Bild malte er an seinem Lieblingsstrand El Cabañal in Valencia; der Horizont ist hoch, man sieht nur wenig Himmel, Pferd und Boote sind angeschnitten – der Einfluss der Fotografie ist unübersehbar. Meer, Pferd und Junge nehmen fast das ganze Bild ein, die Szene ist sonnendurchflutet.

Identität und Zugehörigkeit

Der als »Meister des Lichts« bekannte Sorolla wurde besonders von der Küste bei Valencia sowie den Werken von Velázquez und den französischen Impressionisten beeinflusst. »Ich hasse die Dunkelheit. Claude Monet sagte einmal, dass die Malerei im Allgemeinen nicht genug Licht in sich hatte. Ich stimme ihm zu. Wir Maler können jedoch das Sonnenlicht niemals so wiedergeben, wie es wirklich ist. Ich kann mich nur seiner Wahrheit annähern.« Er malte fast unaufhörlich Küstenszenen, in denen er die Effekte des gleißenden mediterranen Lichts festhielt. Er beschwor herauf, was viele Menschen an besonderen Orten spüren, die sie persönlich inspirieren. Der Dichter W. H. Auden (1907–1973) nannte dies »Topophilie«: Die Vorstellung, dass bestimmte Orte ein Gefühl von Identität und Zugehörigkeit wecken. Zugehörigkeit zu fühlen, ist fundamental, sie ist ungemein wichtig für die körperliche und geistige Gesundheit. Zu spüren, dass man Unterstützung hat und nicht allein ist, hilft einem, besser zurechtzukommen und negative Situationen besser zu verkraften.

El baño del caballo (Das Bad des Pferdes)
1909 • Öl auf Leinwand • 205 x 250 cm • Museo Sorolla, Madrid, Spanien

Jan van Eyck »ALC IXH XAN ([Ich mache es,] wie ich es kann).«

Malerfamilie

Jan van Eyck (vor 1395–1441), einer der führenden Maler der nordeuropäischen Renaissance, war ein Meister der neuen Technik der Ölmalerei und einer der ersten namentlich bekannten nordeuropäischen Künstler. Man bewundert ihn für seinen ausgesprochen realistischen Malstil, weiß allerdings nur wenig über sein Leben. Er wurde in Flandern geboren, hatte vermutlich eine Schwester und zwei Brüder, darunter Hubert van Eyck (ca. 1385/90–1426), die wahrscheinlich alle Maler waren. Er betrieb in Brügge eine Werkstatt und arbeitete ab etwa 1422 am Hof, zunächst für Johann von Bayern und dann für Philip den Guten, Herzog von Burgund. Wahrscheinlich gehörte er dem Adel an. Außerdem konnte er lesen – er signierte seine Gemälde, eine damals ungewöhnliche Praxis.

Das Ende der Welt

Dies, auch als *Die Verehrung des Lammes Gottes* bekannt, ist ein riesiges Polyptychon – ein mehrteiliges Gemälde – aus zwanzig separaten Tafeln, von denen zwölf immer zu sehen sind. Hauptthema ist die Erlösung des Menschen durch das Opfer Christi. Bei geöffnetem Altar sieht man Gott, die Jungfrau Maria, Johannes den Täufer und singende Engel. Es wird allgemein angenommen, dass der größte Teil des Altars nach Huberts frühem Tod von Jan gemalt wurde. Im Prinzip ist es ein Fantasiebild darüber, was am Ende der Welt geschehen wird, wie im Buch der Offenbarung beschrieben. Van Eyck hatte die Ölmalerei zwar nicht erfunden, entwickelte aber Dinge, die man damit machen konnte, darunter das Malen von Details mit noch nie dagewesener Deutlichkeit.

Musikalische Motivation

In Abkehr von der Strenge der byzantinischen, gotischen und mittelalterlichen Kunst schuf van Eyck die Illusion von Tiefe und Licht und vermittelte einen erstaunlichen Realismus und Symbolismus. Seine Innovationen inspirierten Generationen, revolutionierten die Kunstwelt und machten Ölfarbe zu einem der beliebtesten Kunstmaterialien. Der Genter Altar regt außerdem immer wieder zu musikalischen Interpretationen an. Musik wird auf ihm durch singende und Instrumente spielende Engel erzeugt, was den mittelalterlichen Glauben widerspiegelt, dass der Himmel mit göttlicher Musik gefüllt sei. Zwar ist nicht klar, wie die Musik klingt, doch die Blicke der Engel und des Chores lassen vermuten, dass es etwas Spezielles sein muss, und das hat seit Jahrhunderten musikalische Interpretationen inspiriert. Ob wir nun zuhören, selbst spielen oder sie uns vorstellen – Musik kann inspirierend sein. Nutzen Sie Ihre Fantasie, um die Musik in diesem Gemälde zu »hören«, sie wird Ihnen sofort Auftrieb geben.

Der Genter Altar

1432 • Öl auf Holztafel • 350 x 461 cm • St.-Bavo-Kathedrale, Gent, Belgien

Andy Warhol *»Denk nicht darüber nach, Kunst zu machen, sondern mach sie. Lass die anderen entscheiden, ob sie gut oder schlecht ist … und während sie noch dabei sind, mach mehr Kunst.«*

Die Unterschiede verschwimmen

Obwohl er als Kind oft krank war und regelmäßig in der Schule fehlte, wurde Andy Warhol (1928–1987) zu einem der international angesehensten Künstler der Pop-Art, der grundlegend in Frage stellte, was Kunst eigentlich ist. Warhol wurde in Pennsylvania als Kind ostslawischer Eltern geboren, studierte von 1945 bis 1949 Gebrauchsgrafik am Carnegie Institute of Technology in Pittsburgh und zog dann nach New York City, wo er als Werbegrafiker erfolgreich wurde. 1960 begann er damit, Bilder von Alltagsgegenständen als Gemälde, aber auch als Siebdrucke auf die Leinwand zu bannen. In seinem riesigen, silbern ausgekleideten Studio,»The Factory«, weitete er seine Aktivitäten in Richtung Performance-Kunst, Fotografie, Film und Bildhauerei aus. Seine Arbeiten kreisen dabei immer um das Konsumverhalten und die Medien.

Alltagsprodukt

Dieses aus einfachen Formen bestehende Bild ähnelt bewusst einem Supermarktregal. Ausgehend von seinen Erfahrungen als erfolgreichster und am besten bezahlter Werbegrafiker New Yorks machte Warhol Konsumgüter und die Populärkultur zu seinen zentralen Themen. Campbell's Suppe war ein Alltagsprodukt, das er immer wieder abbildete, weil er sie, wie er sagte, zwanzig Jahre lang täglich gegessen habe, sie jeder, ob reich oder arm, kaufen könne und sie für alle gleich sei. Nach dem Schablonieren malte er von Hand weiter. Es sieht zwar präzise aus, doch bei näherer Betrachtung erkennt man Inkonsistenzen – hier unterscheidet sich die Werbegrafik von der bildenden Kunst. In dem Jahr, in dem er dies gemalt hatte, begann Warhol mit dem Siebdruck. Dies war das erste Mal, dass diese Technik in der bildenden Kunst zum Einsatz kam.

Von normal zu außergewöhnlich

Viele von Warhols Ideen sind inspirierend gewesen. Er erfand das Konzept des künstlerischen Ausdrucks neu, indem er Ideen aus der Populärkultur einsetzte, was wiederum Maler, Modedesigner, Fotografen, Musiker und Filmemacher inspirierte. Sein Fokus auf Massenprodukten riss die Grenzen zwischen Hoch- und Massenkultur nieder, während seine Aussage »In Zukunft wird jeder für fünfzehn Minuten berühmt sein« und seine Techniken beim Knüpfen von Kontakten und bei der Manipulation der Presse schon vor der Erfindung von Reality-TV und Social Media spektakulär waren. Da seine Kunst allen zugänglich ist, inspiriert sie weiterhin. Seine Darstellung von Alltagsobjekten sendet die Botschaft an die Betrachter aus, dass normale Dinge außergewöhnlich sein können. Wenn jemand Inspiration braucht, kann er an diesem Gemälde erkennen, dass alles möglich ist, solange er offen für neue Ideen und Denkweisen bleibt.

100 Cans
1962 • Kasein, Sprühfarbe und Bleistift auf Baumwolle • 182,9 x 132 cm
Albright-Knox Art Gallery, New York, USA

Paula Rego »*Ich beziehe Inspiration aus Dingen, die nichts mit der Malerei zu tun haben.*«

Geschichten erzählen

Paula Rego (1935–2022) lebte meist in London, nachdem sie ihre Heimatstadt Lissabon als junge Frau verlassen hatte. Mit sechzehn schickte man sie auf ein englisches Pensionat, ein Jahr später wechselte sie an die Slade School of Art in London. Dort lernte sie den Kunststudenten Victor Willing (1928–1988) kennen, den sie später heiratete. Während sie zwischen Portugal und England pendelte, begann Rego, ihre Werke auszustellen, zunächst mit der bekannten London Group und dann international. 1966 gab es eine Einzelausstellung ihrer Werke in Lissabon und London, 1990 wurde sie die erste »Artist in Residence« an der Londoner National Gallery. Immer suchte Rego nach neuen Möglichkeiten, Geschichten zu erzählen, wobei sie oft beunruhigende emotionale Erfahrungen ansprach und die Notlage oder Situation anderer hervorhob.

Erinnerungen

Diese große Komposition, eine von Regos komplexesten Arbeiten, ist voller Symbole, Zeichen und Geschichten. Ein älterer Seemann sitzt in seinem Zuhause, umgeben von den Erinnerungen an seine Vergangenheit und den Anzeichen der Zukunft durch seine Enkelkinder. Während sie in der Gegenwart sitzen, umringt von der Vergangenheit und der Zukunft, verkörpert das Gemälde die Zeit. Die Vergangenheit existiert jetzt nur noch im Kopf des Seemanns und den unbelebten Objekten, die Gegenwart sind er, seine Frau (im Hintergrund an der Tür) und ihre drei Enkelkinder, und die Zukunft wird durch die Kinder gelebt werden, wenn diese erwachsen werden. Auch wenn das Bild auf den ersten Blick nostalgisch wirkt, hat es doch etwas Beunruhigendes. Das kleine Mädchen im Hintergrund steht vor einer leeren Landschaft.

An die Vergangenheit erinnern, um die Zukunft zu verbessern

Von Anfang an reagierte Rego mit ihrer Kunst auf Ungerechtigkeit. In den 1960er-Jahren parodierte und verurteilte sie mit ihren Werken die Brutalität der portugiesischen Diktatur (1933–74), etwas, das sich durch all ihre Themen zog. Der Blick auf die Leere vor der Tür suggeriert einen nationalen Verlust. Nach der Revolution von 1974 erlebte Portugal eine Zeit des wirtschaftlichen Niedergangs und der gesellschaftlichen Instabilität. Obwohl in den 1990er-Jahren Demokratie und politische Freiheit wiederhergestellt waren, blieben die Schwierigkeiten, dargestellt hier in der Kontemplation von Vergangenheit und Gegenwart – und das Zimmer ohne Aussicht. Selbst das Mädchen am Tisch schreibt auf ein leeres Blatt Papier. Regos Werk provoziert die Betrachter bewusst und inspiriert sie, auf die Themen zu reagieren, die sie anspricht, oder wenigstens über sie nachzudenken.

Zeit – Vergangenheit und Gegenwart
1990 • Acrylfarbe auf Papier auf Leinwand • 183 x 183 cm
Fundação Calouste Gulbenkian, Lissabon, Portugal

Lubaina Himid »*Ich bin eine Malerin und eine Kulturaktivistin.*«

Himids Enthüllungen

Lubaina Himid (geb. 1954) wurde auf Sansibar geboren, kam aber schon als Baby mit ihrer Mutter nach Großbritannien. Heute ist sie Künstlerin, Kuratorin und Professorin für zeitgenössische Kunst an der University of Central Lancashire, Preston, und spricht mit ihrer Kunst Aspekte von Identität, Kultur und Geschichte an. Himid studierte Bühnenbild am Wimbledon College of Art und erwarb dann einen MA in Kulturgeschichte am Royal College of Art in London. Als eine der ersten Künstlerinnen, die sich in der britischen Black Arts Movement der 1980er-Jahre engagierten, wurde sie 2010 Mitglied eines Ritterordens (MBE) für »Dienste an der Kunst schwarzer Frauen«. 2017 gewann sie den Turner Prize und 2018 wurde sie zu einem Commander (CBE) ernannt.

Eine Stimme geben

Himid erschafft Gemälde, Zeichnungen, Drucke und Installationen. Ihr Werk befasst sich mit ihrem Erbe und »dem Beitrag, den People of Color in den vergangenen Jahrhunderten zum kulturellen Leben in Europa geleistet haben«. Die Installation *Naming the Money*, die sich auf die mangelnde Repräsentation von schwarzen und asiatischen Frauen in der Kunstwelt konzentriert, besteht aus 100 gemalten, lebensgroßen Figuren, die aus Karton ausgeschnitten wurden, sodass die Besucher um sie herumlaufen können. Die Figuren stellen afrikanische Sklaven an den königlichen Höfen Europas dar, die als Keramiker, Kräutergärtner, Spielzeugmacher, Hundetrainer, Schuhmacher, Kartografen und Maler gearbeitet haben. Sie sind wie Höflinge gekleidet. Ein Soundtrack gibt jeder Figur eine Stimme und eine Identität, die ihr bei ihrer Versklavung genommen wurde.

Überwältigende Neubewertungen

Als Teil der Black Arts Movement der 1980er-Jahre, in der britische Künstler mit afrikanischen oder afrokaribischen Wurzeln versuchten, Chancen für andere People of Color zu schaffen, ihr Werk auszustellen, begann Himid, ihre Stärke, die sie im Laufe der Geschichte entwickelten, und die Art und Weise, wie sie oft marginalisiert, unterdrückt und verschwiegen wurden, zu erforschen und bekanntzumachen. Durch dieses und andere Kunstwerke erinnert Himid die Betrachter an schockierende Aspekte der Geschichte von People of Color, wodurch sie Ideen und positivere Handlungen für die Zukunft in ihren Werken und ihren Aktivitäten in der Kunstwelt heraufbeschwört. Indem sie den Figuren Namen und Stimmen gibt, stellt sie deren Menschlichkeit wieder her und inspiriert die Betrachter, eine persönliche, empathische Verbindung zum Kunstwerk herzustellen.

Naming the Money
2004 • Installation, 100 lebensgroße, bemalte, ausgeschnittene Figuren auf Karton
Installationsansicht, *Navigationskarten*, Spike Island, Bristol, Großbritannien

Energie
erzeugen

Etwas Neues zu erlernen, neue Ideen aufzugreifen oder Freude an einem Kunstwerk zu empfinden, kann die innere Energie stimulieren. Die Kunst selbst kann aber auch ein Gefühl von Vitalität ausstrahlen. An manchen Arbeitsplätzen wird durch Kunst die Produktivität gestärkt. Mit seiner Forschungsgruppe Identity Realization (IDR) studierte Dr. Craig Knight, Wissenschaftler an der University of Exeter, die Psychologie von Arbeitsumgebungen. Er entdeckte, dass Angestellte in Arbeitsbereichen, die mit Kunst ausgestattet sind, besser und dynamischer arbeiten. In den von Knight und seinem Team durchgeführten Studien, arbeiteten Büroangestellte, in deren Arbeitsumgebungen es Kunst und Pflanzen gab, schneller und hatten weniger Gesundheitsbeschwerden als solche in nicht geschmückten Büros.

Viele Kunstwerke, vor allem Skulpturen, Skizzen und Gemälde, scheinen die Energie auszustrahlen, die bei ihrer Erschaffung geflossen ist. In diesem Kapitel werden Werke von Piet Mondrian, Edgar Degas, Albert Bierstadt, Hokusai, Jacques-Louis David und Marc Chagall dahingehend betrachtet, wie sie geistige, emotionale oder körperliche Energie kommunizieren oder aktivieren.

Rocky Mountain Landscape (Detail) von Albert Bierstadt; siehe Seite 143.

Edgar Degas »Die Menschen nennen mich den Maler von Tänzern, dabei möchte ich die Bewegung selbst festhalten.«

Licht und Bewegung

Edgar Degas (1834–1917) gilt als Impressionist, lehnte diese Zuordnung jedoch ab und nannte sich lieber einen »Unabhängigen«. Ihn faszinierte die Darstellung von Licht, Bewegung und Figuren, und er schuf Gemälde, Pastelle, Zeichnungen, Fotografien, Drucke und Plastiken. Geboren in Paris, genoss er eine gute Ausbildung und begann seinem Vater zuliebe zunächst ein Jurastudium, bevor er zwei Jahre später an die renommierte École des Beaux-Arts wechselte. Drei Jahre verbrachte er in Italien. 1870 trat er beim Ausbruch des Deutsch-Französischen Krieges in die Nationalgarde ein. Auch wenn sich sein künstlerisches Vorgehen von dem der Impressionisten unterschied, half er, ihre ersten Ausstellungen zu organisieren. Seine Ausbildung war klassisch, seine Kunst jedoch modern und besonders von der Fotografie beeinflusst.

Das Gefühl von Unmittelbarkeit

Mehr als die Hälfte von Degas' Arbeiten enthalten Tänzerinnen. Dieses Gemälde zeigt junge Ballerinas und deren Mütter in einem Tanzstudio. Einige sitzen, andere stehen und das Mädchen in der Mitte tanzt dem Lehrer, Jules Perrot (1810–1892), vor, der in ganz Europa berühmt war. Im Hintergrund haben sich die Mütter versammelt, im Vordergrund links steht ein Notenständer mit Notenblättern. Ein großer Spiegel an der Wand spiegelt einen Teil des Raumes. Einige der Mädchen sind dem Betrachter abgewandt, andere reden miteinander oder beschäftigen sich anderweitig. Das Bild erzeugt den Eindruck, der Betrachter sei gerade hinzugetreten. Die Unmittelbarkeit wird durch die Elemente des Gemäldes verstärkt, die am Rand abgeschnitten sind – eine Idee, die aus der Fotografie stammt.

Eine diagonale Wirkung

Degas entfernte sich von seiner klassischen Ausbildung, als er seinen künstlerischen Einflüssen mehr Raum gewährte, wie dem japanischen *Ukiyo-e* (Bilder der fließenden Welt), dem Werk von Eugène Delacroix und der Fotografie. Die ersten beiden vermitteln die Dynamik durch die Komposition, wobei Delacroix auch den ausdrucksstarken Einsatz von Farbe befürwortete. Degas verband diese Ideen und stellte mit ihrer Hilfe menschliche Figuren dar, die durch den Tanz belebt werden. Seine Tänzerinnen werden wie bei einem Schnappschuss in zwanglosen, oft unvorteilhaften Posen dargestellt. Sie strecken und bücken sich, richten ihre Kleidung, ruhen sich aus. Auch wenn die meisten nicht tanzen, füllt ihre Energie den Raum. Das Gefühl von Bewegung, von wechselnden Positionen, lebhaften Gesprächen und der Bereitschaft, loszulegen, ist offensichtlich. Das Tanzen selbst hat körperliche und psychologische Vorteile. Es ist ein gutes Mittel, um zu trainieren und auf andere Gedanken zu kommen.

Der Tanzunterricht

1874 • Öl auf Leinwand • 83,5 x 77,2 cm

The Metropolitan Museum of Art, New York, USA

Albert Bierstadt »*Wirklich alles ist bemerkenswert und ein Quell von Erstaunen und Wunder.*«

Hudson River School

Albert Bierstadt (1830–1902) wurde in Preußen geboren, ist aber in Massachusetts aufgewachsen. Er kehrte später nach Europa zurück, um in Düsseldorf Malerei zu studieren. In dieser Zeit bereiste er mit Malerfreunden Deutschland, die Schweiz und Italien. Wieder in Amerika lebte er zunächst in Massachusetts, bevor er nach New York zog und der Hudson River School beitrat, einer zwanglosen Künstlergruppe, die entlang des Hudson Rivers malten. Er reiste außerdem in die Rocky Mountains und an verschiedene andere Orte in den USA und Europa. Später nutzte er seine *Plein-air*-Studien für atmosphärische Landschaftsgemälde, für die er seine in Europa erworbenen Fertigkeiten einsetzte, etwa auch zur Schaffung kühner Lichtkontraste. Diese Gemälde machten ihn zu einem der respektiertesten Maler des amerikanischen Westens.

Den Blick lenken

Bierstadt malte diese Landschaft mehrere Jahre nach der Anfertigung der Studien der Rockies im Jahre 1863. Er schuf zu dieser Zeit mehrere dieser riesigen Bilder, die seinen Ruf festigten. Mit den düsteren Bereichen an der Seite und im Vordergrund wird Dramatik erzeugt – diese tief im Schatten liegenden Stellen kontrastieren direkt mit den Lichtern im Hintergrund und am Himmel. Die Formen der Berge finden sich auch in den Wolkenformationen wieder, die über den Himmel zu ziehen scheinen, während ein glitzernder Wasserfall in das stille Wasser des Sees sprudelt, der die Szene spiegelt. Ein Rudel Hirsche geht in den Schatten und der Vegetation des Vordergrundes schier verloren. Bierstadt hat aus fotografischen Techniken gelernt, den Blick des Betrachters in und durch die Landschaft zu führen.

Angezogen vom Licht

Der für seine großen, dramatischen Gemälde des amerikanischen Westens berühmte Bierstadt wurde mit einer Kunstbewegung namens Luminismus in Verbindung gebracht. Er war sich des Begriffs nicht bewusst, der erst in der Mitte des 20. Jahrhunderts aufkam, man konnte also nicht sagen, dass er einem bestimmten Stil anhing. Der Name beschreibt jedoch die Maler amerikanischer Landschaften, die zwischen etwa 1830 und 1870 aktiv waren und Gemälde mit typisch dramatischen Lichtdarstellungen schufen. Diese ausladende Szene führt den Betrachter auf eine aufregende Reise in eine üppige Landschaft. Solche anspruchsvollen, atemberaubenden Szenen erinnern uns an die freie Natur, die uns bekanntermaßen Energie geben kann. Studien haben gezeigt, dass selbst kurze Aufenthalte im Freien den Sauerstofffluss in das Gehirn verstärken, was zu mehr Energie und Aufmerksamkeit führt und die Müdigkeit verringert.

Rocky Mountain Landscape
1870 • Ölgemälde • 93 x 139,1 cm • The White House, Washington, DC, USA

Piet Mondrian »Der Künstler setzt Dinge in Bewegung und ist bewegt ... Er, der Dinge sich bewegen lässt, schafft auch Ruhe.«

De Stijl und Neoplastizismus

Piet Mondrian (1872–1944), Mitbegründer der abstrakten Malerei und Gründer der niederländischen Kunstbewegung De Stijl begann seine Karriere als Landschaftsmaler. Er entwickelte später Interesse an den Prinzipien der Theosophie und begann, seine Gemälde radikal zu vereinfachen. Mondrian studierte Malerei in Amsterdam, ging 1911 nach Paris und experimentierte ab 1912 mit einer Form des Kubismus. Im 1. Weltkrieg kehrte er in die Niederlande zurück. Dort gab er ab 1917 zusammen mit Theo van Doesburg (1883–1931) und anderen das Magazin *De Stijl* (Der Stil) heraus, in dem er über seine Theorien schrieb. Wieder in Frankreich entwickelte er den Neoplastizismus, bei dem er rasterartige Gemälde mit einer radikal reduzierten Farbpalette herstellte. Vor Ausbruch des 2. Weltkriegs lebte er für zwei Jahre in England, bevor er 1940 nach New York übersiedelte.

Jazz und Tanz

Mondrian war vom ersten Augenblick an in New York City verliebt. Fasziniert von der Architektur und der allgegenwärtigen Geschäftigkeit, liebte er außerdem den Boogie-Woogie, den er am ersten Abend gehört hatte. Der Boogie-Woogie hatte sich in den 1870er-Jahren in der afroamerikanischen Gemeinschaft entwickelt. Ende der 1920er-Jahre war er eine populäre und verbreitete Musikrichtung, die in vielen Locations gespielt und

von einer speziellen Art des Tanzens begleitet wurde. Dieses aus Quadraten, geraden Linien, rechten Winkeln, den Primärfarben und Weiß bestehende Gemälde repräsentiert die Autos, Menschen und Gebäude auf den Straßen sowie den rhythmisch verschobenen (synkopierten) Boogie-Woogie.

Eine pulsierende Dynamik

Um die mystische Energie des Universums aufzudecken, reduzierte Mondrian seine Gemälde auf ihre grundlegenden Elemente. Die gelben Quadrate hier wurden von New Yorks gelben Taxis inspiriert, das Raster stellt den Verkehrsfluss, die Menschen, die durch die Straßen strömen, und das Tempo des Boogie-Woogie dar. Das Tanzen des Boogie-Woogie erfolgte normalerweise improvisiert zu stark rhythmischer Musik. Tanzende Paare führten akrobatische Bewegungen aus, die lebhaften Schritte zeigten Einflüsse aus Charleston, Tango und Foxtrott, Mondrians Lieblingstänzen. Dieses rhythmische Gemälde drückt also das Leben, die Farben und die pulsierende Dynamik aus, die Mondrian entdeckte und liebte. Er beweist uns hier, dass ein abstraktes Gemälde durch den Gesamteindruck aus Farben, Rhythmus und lebendigen Formen unsere Vitalität stärken kann.

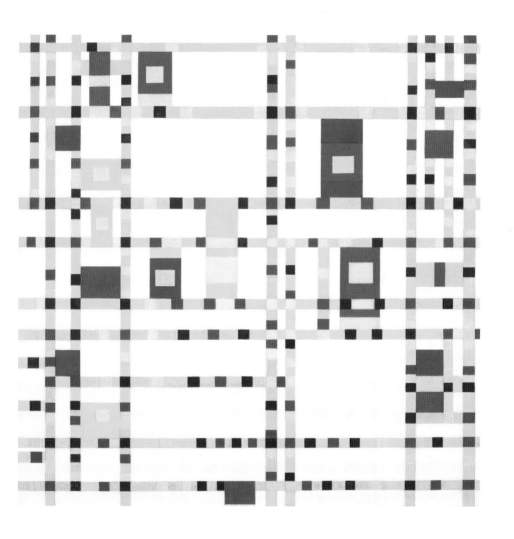

Broadway Boogie-Woogie
1942–43 • Öl auf Leinwand • 127 x 127 cm • Museum of Modern Art, New York, USA

Katsushika Hokusai »Wen ich einhundertundzehn bin, dann wird alles, was ich mache, der kleinste Punkt, lebendig sein.«

Ukiyo-e

Katsushika Hokusai (1760–1849), der östlich von Edo (heute Tokio) aufwuchs, gehörte der *Ukiyo-e*-Schule an. Schon mit sechs Jahren zeigte sich sein künstlerisches Talent. Nachdem er in einem Buchladen und einer Bibliothek gearbeitet hatte, kam er zu einem Holzschneider in die Lehre und trat dann in die Werkstatt des bekannten *Ukiyo-e*-Künstlers Katsukawa Shunshō (1726–1793) ein. Japanische Künstler wechselten regelmäßig ihre Namen. Hokusai tat dies häufiger als andere und nutzte in seinem Leben mehr als 30 Namen. Zu seinen frühen Arbeiten gehören Gemälde und Drucke von Landschaften und Schauspielern. Außerdem schuf er einfache Skizzen, sogenannte *Manga*, die äußerst erfolgreich waren. Seine bekannteste Serie aus Holzschnitten, *36 Ansichten des Berges Fuji*, entstand zwischen 1826 und 1833.

Der Berg Fuji

Dieser Druck beweist Hokusais Fantasie und Können. Trotz der Schwierigkeiten, sich gegen die Konventionen zu stellen, veränderte er die japanische Kunst. Statt der traditionellen *Ukiyo-e*-Bilder mit Kurtisanen und Schauspielern schuf er Landschaften und Alltagsszenen. Dieses Bild mit seinen fließenden Linien, der reduzierten Palette kräftiger Farben, der dramatischen Komposition und einer Neuinterpretation der Natur inspirierte viele Menschen. Der schneebedeckte, in Japan als heilig verehrte Fuji ist ganz winzig hinter der hoch aufsteigenden Welle zu sehen, die drei Fischerboote zu verschlingen droht. Die Boote werden von 22 Männern gerudert, deren geringe Größe die Welle umso riesiger wirken lässt. Sturm zieht auf. Der Himmel um den Fuji ist dunkel – es ist früher Morgen.

Lebensereignisse verarbeiten

Hokusais »Große Welle«, das vermutlich berühmteste Bild der japanischen Kunst, faszinierte Impressionisten, inspirierte Komponisten und hat sogar ein eigenes Emoji. Mit der ihm eigenen Vitalität löste es viele ähnlich lebendige Reaktionen aus. So ließ sich etwa der französische Komponist Claude Debussy (1862–1918) in den Jahren 1903–05 bei seinen »sinfonischen Skizzen« *La Mer* direkt von diesem Bild inspirieren. Als Hommage an Hokusai hatte die erste Druckausgabe von Debussys Musikstück die Welle als Titelbild. Die riesige Welle erhebt sich hoch über den Meeresspiegel und greift wie eine Klaue nach den Booten, die unter ihr umhergeworfen werden. Im Hintergrund steht still, unsterblich und unbeweglich der Fuji. Die Vision der menschlichen Verletzlichkeit und Hilflosigkeit ist eine Erinnerung daran, welche Rolle Menschen in der Natur spielen. Der Betrachter spürt die Macht der Natur, und dies hilft, angesichts der Tragik des Lebens Perspektive zu gewinnen. Das wiederum kann ihm neue Energie verleihen.

Die große Welle vor Kanagawa
ca. 1830–32 • Farbholzschnitt; Tinte und Farbe auf Papier • 25,7 x 37,9 cm
The Metropolitan Museum of Art, New York, USA

Jacques-Louis David *»Die Antike wird mich nicht verführen, ihr mangelt es an Animation, sie bewegt sich nicht.«*

Der Prix de Rome

Der Klassizismus entwickelte sich, nachdem Mitte des 18. Jahrhunderts die alten römischen Städte Herculaneum und Pompeji ausgegraben wurden. Jacques-Louis David (1748–1825) wurde zum führenden Maler der Bewegung. Er wurde in Paris geboren und gewann als herausragender Student seines Jahrgangs an der Französischen Akademie den begehrten Prix de Rome. Er verbrachte die Jahre 1775–80 in Rom und wurde nach seiner Rückkehr mit seinen Historienbildern und Porträts berühmt. Er nahm aktiv an der Revolution von 1789 teil, wurde in das neue Parlament gewählt und war 1794–95 kurz im Gefängnis. Napoleon Bonaparte machte ihn zu seinem offiziellen Hofmaler. Nach dem Sturz der Republik gewährte ihm der neue französische König Ludwig XVIII. Amnestie und bat ihn ebenfalls, sein Hofmaler zu werden. David zog allerdings das Exil in Brüssel vor.

Ein feuriges Pferd

Nach der Französischen Revolution wurde Napoleon zum mächtigsten Mann Frankreichs und ließ sich einige Jahre später zum Kaiser krönen. Dieses Porträt, das vom spanischen König Karl IV. in Auftrag gegeben worden war, sollte Napoleons militärischen Erfolg darstellen und im Königspalast in Madrid hängen. Das Gemälde, das oft als übertrieben und unnatürlich kritisiert wurde, zeigt Napoleon, direkt nachdem er seinen *Coup d'état* gegen die Revolutionsregierung durchgeführt und sich selbst zum Konsul eingesetzt hatte. Napoleon lehnte es zwar ab, für das Werk Modell zu stehen, gab David aber dennoch Anweisungen dafür, in denen er erklärte, dass er »ruhig auf einem feurigen Pferd« abgebildet zu werden wünsche.

Naturgewalten

David malte Napoleon auf einem kräftigen Araberhengst und zeigte ihn als dynamischen Anführer voller Energie. Sein nach oben gereckter Arm entspricht dem Winkel des Berges und steigert die diagonale Ausrichtung des Bildes, während sein wehender Umhang den Eindruck von Bewegung verstärkt. Die starke Betonung der Schräge verleiht dem Bild seinen Nachdruck. Der höchste Punkt des Umhangs zieht den Blick nach vorn. Der Wind lässt Mähne und Schweif des Pferdes flattern und jagt die Wolken über den Himmel – die Naturgewalten spiegeln die Energie des Hauptmotivs dieses Bildes. Ungeachtet aller Übertreibung ist das Bild ganz zweifellos aufrüttelnd. In Wirklichkeit ging Napoleon seinen Truppen nicht über die Alpen voran, sondern folgte ihnen Tage später, auf einem Esel reitend. Davids Leistung besteht darin, aus uninspirierenden Umständen ein dynamisches, energiegeladenes Bild geschaffen zu haben.

Bonaparte beim Überqueren der Alpen am Großen Sankt Bernhard

1801 • Öl auf Leinwand • 261 x 221 cm • Château de Malmaison, Paris, Frankreich

Marc Chagall »*Trotz aller Sorgen der Welt in meinem Herzen habe ich nie die Liebe aufgegeben, mit der ich aufgewachsen bin, noch die Hoffnung des Menschen auf Liebe.*«

Chagalls Inspirationen

Der im weißrussischen Witebsk, damals Teil des Russischen Kaiserreichs, geborene Marc Chagall (1887–1985) erlernte in seinem Heimatort das Zeichnen und studierte dann in St. Petersburg Malerei. 1910 zog er nach Paris, wo er die künstlerische Avantgarde kennenlernte und von Kunstbewegungen wie Impressionismus, Post-Impressionismus, Fauvismus und Kubismus beeinflusst wurde. Nach seiner Rückkehr nach Weißrussland schuf er Bühnenbilder für das Theater, bevor er sich in Südfrankreich niederließ. Bei Ausbruch des 2. Weltkriegs floh er nach New York, wo er sich mit Piet Mondrian anfreundete und Bühnenbilder für das New York City Ballet herstellte. Nach dem Krieg kehrte er nach Frankreich zurück und bemalte die Decke der Pariser Opéra. Außerdem entwarf er Buntglasfenster für die Kathedralen in Reims und Metz, für das Gebäude der Vereinten Nationen in New York, für das Art Institute of Chicago und für eine Synagoge in Jerusalem.

Enthusiasmus für das Leben

Im Winter 1917–18, kurz vor Ende des 1. Weltkrieges, schuf Chagall drei Gemälde, darunter das auf der gegenüberliegenden Seite, die zu seinen berühmtesten Werken gehören. Dieses Bild zeigt, welchen energiegeladenen Enthusiasmus er trotz der Geschehnisse in der Welt weiterhin für das Leben verspürte. Im Allgemeinen verschlechterte sich das Leben für

jüdische Menschen wie ihn, aber es gab Hoffnung. In Russland kam es im Oktober 1917 zur Revolution, die Juden (neben anderen) die gleichen Rechte gab wie anderen Bürgern. Chagall, der im russischen Kaiserreich aufgewachsen war, hatte offene Diskriminierung erlebt. Doch er war glücklich mit seiner Frau, Bella Rosenfeld, und dieses Bild demonstriert seine positive Einstellung. Bella schwebt in der Luft, gehalten von Chagalls Hand; er trägt seine beste Kleidung und lacht. Im Hintergrund ist seine Heimatstadt Witebsk zu sehen.

Die Liebe teilen

Chagalls traumartige Motive entstammten seiner Fantasie, seinen persönlichen Erfahrungen und der osteuropäischen Folklore. Die lebhafte Bildwelt spricht von dem Hochgefühl das er mit der Liebe für seine Frau verband. Sie schwebt in der Luft, als hätte der Wind sie emporgehoben, beider Gesichter strahlen vor Glück und Verehrung. Sie sind auf einem Spaziergang auf dem Land und die Energie ihrer machtvollen Gefühle hebt sie empor. Trotz vieler Beschwernisse blieb Chagall fast immer optimistisch und füllte seine Gemälde mit dem ihm eigenen Elan – vor allem, wenn er das Glück und die Energie ausdrückte, die Liebe und Gemeinschaft uns bringen.

Der Spaziergang
1917–18 • Öl auf Leinwand • 169,6 x 163,4 cm
Staatliches Russisches Museum, St. Petersburg, Russland

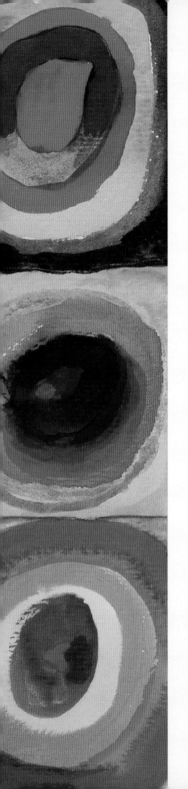

Hoffnung finden

Im Jahre 1883 schrieb Auguste Rodin, unglücklich nach einem Streit mit seiner Geliebten Camille Claudel: »In einem einzigen Augenblick spüre ich deine schreckliche Macht. Grausamer Wahnsinn, das ist das Ende. Ich werde nicht mehr arbeiten können … dennoch liebe ich dich rasend.« Über die nächsten fünfzehn Jahre setzten Rodin und Claudel ihre sprunghafte Romanze fort, während der sie beide kraftvolle Skulpturen schufen, in die sie ihre Gefühle von Liebe und Hoffnung einströmen ließen. Andere Künstler, wie Wassily Kandinsky und Henri Matisse, verwendeten farbige und fließende Zeichen, um ihre Gefühle von Hoffnung auszudrücken, und Augusta Savage schuf fesselnde Skulpturen, die Hoffnung ausstrahlen. Hoffnung ist ein wesentlicher Teil des Menschseins. Allzu oft grübeln wir über die Probleme der Welt und unsere eigenen Nöte. Die Kunst in diesem Kapitel erlaubt uns eine Pause vor all den schlechten Nachrichten, die fast unaufhörlich auf uns einprasseln. Auf ihre Art kann Kunst ermutigen und uns an die eher optimistische Seite der menschlichen Natur erinnern, die uns hilft, mit dem Negativen zurechtzukommen.

Farbstudie; Quadrate mit konzentrischen Kreisen
(Detail) von Wassily Kandinsky; siehe Seite 157.

Auguste Rodin »*Es kommt darauf an, bewegt zu sein, zu lieben, zu hoffen, zu schaudern, zu leben.*«

Unglaublicher Naturalismus

Der als Begründer der neuzeitlichen Skulptur angesehene Auguste Rodin (1840–1917) schuf naturalistische Kunst, die mit den figurativen Traditionen der Bildhauerei brach. Mit vierzehn trat er in eine auf Kunst und Mathematik spezialisierte Schule ein. In Italien hinterließ 1875 das Werk von Michelangelo einen tiefen Eindruck bei ihm. Wieder in Paris stellte er *Das eherne Zeitalter* her, eine unglaublich lebensechte, lebensgroße Figur. Von Kritikern wurde er beschuldigt, den Abguss direkt von einem Mann abgenommen zu haben, statt ihn von Hand zu formen, was damals inakzeptabel war. Nachdem er seine Unschuld bewiesen hatte, wurde er beauftragt, riesige Bronzetore für ein geplantes Museum der ornamentalen Kunst herzustellen. Er widmete seinen monumentalen *Höllentoren* Jahre seines Lebens. Am Ende wurden sie nie benutzt, weil der Bau nie umgesetzt wurde. Dennoch stellte er viele der Figuren von den Toren noch einmal als individuelle Skulpturen her.

Die Verkörperung der Kreativität

Diese Figur, ursprünglich Teil der *Höllentore*, stammt aus Dantes *Göttlicher Komödie* und soll Dante selbst darstellen. Sie könnte aber auch der Inbegriff jedes Schöpfers sein, der aus seiner Fantasie heraus arbeitet. Manche Wissenschaftler glauben, Rodin habe sich hier selbst dargestellt. Wer auch immer dies ist, er verkörpert die geistige Anstrengung der Kreativität, den Kopf auf die Faust gestützt, die Stirn in Falten gelegt, mit zusammengepressten Lippen und angespannten Muskeln. Rodin war von seinem Werk so angetan, dass er sich eine Kopie davon auf sein Grab in Meudon stellen ließ, wo sie als Grabstein und Epitaph dient.

Kontemplation

Diese männliche, auf einem Fels sitzende Figur ist tief in Gedanken – und dies wird dem Betrachter durch die Haltung auch vermittelt. Allerdings reichen die Interpretationen von kreativ bis deprimiert, traurig oder hoffnungsvoll. Rodin wollte damit die mühsamen, aber positiven Prozesse eines kreativen Geistes ausdrücken. Manche Psychologen glauben hingegen, dass die vielfältigen Reaktionen auf das Werk mehr über die Betrachter selbst aussagen als über Rodins Absichten: Dass sie nämlich ihre eigenen Gedanken und Gefühle auf die Skulptur projizieren. Rodin schuf den *Denker* als starke, athletische Figur, um anzudeuten, dass der Akt des Denkens eine kraftvolle Übung ist. Wir sehen hier die Idee eines Mannes, der scheinbar einem Dilemma begegnet ist. Zum ersten Mal wurde in der Kunst die Weisheit durch einen realistisch aussehenden Mann und nicht durch eine Göttin verkörpert. Hier wird suggeriert, dass das Gefühl von Hoffnung wächst, wenn man sich die Zeit nimmt, über Probleme nachzudenken.

Der Denker
1880 (Modell); 1901 (Guss) • Bronze • 71,5 x 36,4 x 59,5 cm
National Gallery of Art, Washington, DC, USA

Wassily Kandinsky *»Farbe übermittelt und übersetzt Emotionen.«*

Spiritualität ausdrücken

Wassily Kandinsky (1866–1944), einer der Vorreiter der abstrakten Kunst, war Maler, Graveur, Lithograf, Lehrer und Theoretiker. Beeinflusst von der Theosophie wollte er durch seine Kunst Spiritualität ausdrücken. Geboren in Moskau, erwarb er zuerst einen Abschluss in Jura und Ökonomie und studierte dann in München Kunst. Er bereiste Europa und schuf Gemälde und Drucke in einem von der russischen Volkskunst inspirierten Stil. Zurück in München malte er unter dem Einfluss des Fauvismus mit leuchtenderen Farben. In seiner Schrift *Über das Geistige in der Kunst* von 1911 beschrieb er, dass er mit seiner Kunst Emotionen bei den Betrachtern provozieren wollte. Im folgenden Jahr begründete er mit Franz Marc die expressionistische Künstlergruppe Der Blaue Reiter. Während des 1. Weltkriegs ging er nach Russland zurück, kam dann wieder nach Deutschland und wurde Professor am Bauhaus.

Die Wahrnehmung von Farbe

Dieses kleine Gemälde ist eine Studie zur Farbwahrnehmung. Kandinsky nutzte es für seine Lehre und zur Entscheidung über die Farben in seinen Gemälden. Er untersuchte – hauptsächlich mit Aquarellfarben – wie die Pigmente die Wahrnehmung des Betrachters beeinflussen. Immer wieder erkundete er Farbkombinationen, um ein größeres Bewusstsein zu stimulieren und Emotionen zu wecken. Zwölf Quadrate sind mit konzentrischen Kreisen gefüllt. Das Miteinander von Formen und Farben vermittelt ein Gefühl von Harmonie und Lebendigkeit. Kandinsky war Synästhet, er besaß also die Fähigkeit, mehrere Sinne gleichzeitig zu erleben, etwa das »Hören« von Farben oder das »Sehen« von Tönen. Farbe erzeugte für ihn die Essenz von Leben und Spiritualität. Er schrieb ausführlich über seine Vorstellungen davon, wie Farben miteinander und mit dem Betrachter interagieren.

»Seelenschwingen«

Wegen seiner Synästhesie lag eine von Kandinskys Hauptinteressen in der Art und Weise, wie Farbe tief in die Seele oder Psyche eindringen und Anschauungen verändern kann. Er versuchte, durch die Anordnung von Farben und Formen innere Verbindungen im Betrachter zu inspirieren. Hier rufen die leuchtenden Farbkombinationen und die harmonische Anordnung Gefühle von Hoffnung hervor. Mit den einfachsten Formen erzeugt Kandinsky eine emotionale Reaktion. Er glaubte, dass alle Farben eine zweifache Wirkung erzielen könnten: eine einfache körperliche durch die Augen, die positive Gefühle auslöst, und eine spirituelle, auf einer tieferen Ebene liegende, die er »Seelenschwingung« nannte. Dabei lösten die Farben in jeder Person ganz eigene Resonanzen aus und weckten positive Gefühle wie Hoffnung und Sehnsucht.

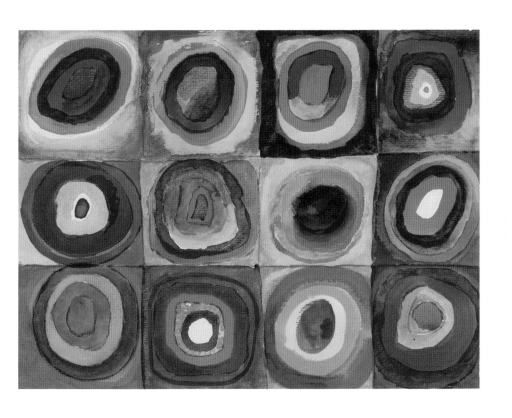

Farbstudie – Quadrate mit konzentrischen Kreisen
1913 • Aquarell, Gouache und Kreide auf Papier • 23,8 x 31,4 cm
Städtische Galerie im Lenbachhaus, München, Deutschland

Augusta Savage *»Er hätte beinahe die Kunst aus mir herausgeprügelt.«*

Savages Kämpfe

Die in Florida geborene Augusta Savage (1892–1962) begann als Kind, Tiere aus Ton zu modellieren. Ihr Vater, ein Methodistenprediger, hielt dies jedoch für sündig und verprügelte sie deswegen. Sie machte unbeirrt weiter. 1921 erhielt sie ein Stipendium der Cooper-Union-Kunstschule in New York City, wo sie vor 142 Männern angenommen wurde. Zwei Jahre später gewann sie ein Stipendium für das Studium an der Kunstschule in Fontainebleau, allerdings wurde das Angebot der französischen Regierung zurückgezogen, als man entdeckte, dass sie Person of Color war. Sie wurde Teil der Harlem-Renaissance, einer intellektuellen und kulturellen Neuentdeckung der afroamerikanischen Kreativszene und war 1939 die erste afroamerikanische Frau in den USA mit einer eigenen Kunstgalerie. Da sie aus finanziellen Gründen nur mit Ton oder Gips modellieren konnte, sind viele ihrer Werke heute verloren.

Erhebt eure Stimmen und singt

In dieser Bronze repräsentieren zwölf Sänger die Saiten einer Harfe, während Gottes Hand und Arm den Resonanzkörper formen und ein knieender Mann, der den Liedtext hält, das Fußpedal symbolisiert. Savage schuf dieses Werk als Auftragsarbeit für die New Yorker Weltausstellung 1939. Sie nannte es *Lift Every Voice and Sing* nach der Hymne der Brüder James Weldon Johnson und John Rosamond

Johnson. Von den Ausstellern wurde der Name allerdings in *Die Harfe* geändert. Das monumentale Werk erhielt bei der Ausstellung viel Aufmerksamkeit, allerdings besaß Savage nicht die Mittel, um es zu gießen. Da es auch keine Lagermöglichkeiten gab, wurde es zerstört. Später produzierte man kleinere Versionen in Bronze. Als schwarze Künstlerin musste Savage sowohl mit männlichen als auch mit weißen Künstlern konkurrieren. Ihr Leben und ihre Arbeit sind daher die Verkörperung der Hoffnung.

Optimismus und Stärke

Dieses Kunstwerk entstand vor dem Hintergrund des Widerstandes und besitzt eine tiefere Bedeutung. Denken Sie über die Stimmung und die Gefühle nach, die es auslöst, und sprechen Sie entweder laut aus oder schreiben Sie nieder, was Sie in dieser Skulptur sehen und über sie denken. Die Figuren – stolz und kreativ – sind entschlossen, Musik zu machen. Die schiere Größe des Originals war mutig und kraftvoll. Durch seine Botschaft und Savages Duldsamkeit personifiziert es Hoffnung; ihr Glaube und Vertrauen waren nicht von Permanenz oder Sicherheit abhängig, sondern sie ging in eine unsichere Zukunft und verließ sich dabei nur auf ihren unbezwinglichen Optimismus und ihre Entschlossenheit.

Die Harfe
1939 • Bronzereplik • 27,3 x 24,1 x 10,2 cm
University of North Florida Gallery of Art, Jacksonville, Florida, USA

Pere Borrell del Caso »*Es scheint, dass alles, das irgend täuscht, bezaubert.*« Platon

Das Auge täuschen

Trampantojo ist Spanisch für »Kunststück« oder »Trick«. Ähnlich wie das französische *Trompe-l'œil*, »täusche das Auge«, bezieht es sich auf eine künstlerische Technik, die optische Täuschungen erzeugt und zweidimensionale Bilder dreidimensional aussehen lässt. Der Maler, Illustrator und Graveur Pere Borrell del Caso (1835–1910) war für seine *Trampantojo*-Gemälde bekannt. Geboren im katalanischen Dorf Puigcerdà, erlernte er bei seinem Vater den Beruf des Schreiners. Später zog er nach Barcelona und studierte Kunst an der Kunstgewerbeschule La Llotja, wobei er zum Geldverdienen nebenbei als Schreiner arbeitete. Er malte Porträts und religiöse Wandbilder und stellte seine Werke in ganz Spanien sowie auf der Weltausstellung in Paris 1878 aus. Obwohl man ihm zweimal eine Professur an der La Llotja anbot, entschied er sich, an seiner eigenen privaten Kunstschule, Sociedad de Bellas Artes, in Barcelona zu unterrichten.

Ein Gefühl von Realität

Dies ist Borrells berühmtestes Werk in seinem für ihn charakteristischen realistischen Stil. Ein zerzaust aussehender Junge versucht scheinbar, aus seinem Gemälde herauszuklettern. Ein Fuß steht bereits auf dem Rahmen, mit den Händen hält er sich an den Seiten fest. Er sieht sowohl erstaunt als auch besorgt über das aus, was ihn in der Welt draußen erwartet. Es ist zwar nirgendwo dokumentiert, doch

einige Wissenschaftler glauben, dass Borrell dieses Bild als Reaktion auf den extravaganteren romantischen Stil gemalt hat, der damals in Europa populär war. Es ist nicht klar, wovor der Junge flieht. Er trägt keine Schuhe und das Gefühl von Realität wird durch die Hell-Dunkel-Malerei (Chiaroscuro) noch verstärkt. Die Körperteile, die bereits »durch« den Rahmen gestiegen sind, sehen heller aus, während der Rest dunkel bleibt.

Wagen Sie den Sprung!

Borrell erzeugt hier die optische Illusion eines echten Fensters, durch das der Junge in unsere Welt eintritt. Der Junge hat Sehnsucht, er hätte sicher im Bild bleiben können, entschied sich aber, auszubrechen und ins Unbekannte aufzubrechen. Genau wie die Entdecker des 16. Jahrhunderts auf der Suche nach neuen Ländern riskiert der Junge alles, um eine Welt jenseits dessen zu erkunden, was er kennt. Er würde dies natürlich nicht machen, hätte er nicht die Hoffnung, auf der anderen Seite etwas Besseres zu finden. Voller Erwartung traut er sich. Das Gemälde zeigt, dass es immer möglich ist, Wege zu finden, um das zu erlangen, was man haben möchte oder braucht; manchmal reicht ein Sprung ins Ungewisse und die Bereitschaft, ein Scheitern zu riskieren. Der Junge ist besorgt, aber zuversichtlich, und Zuversicht stärkt Hoffnung.

Flucht vor der Kritik
1874 • Öl auf Leinwand • 75,7 x 61 cm • Banco de España, Madrid, Spanien

Rembrandt van Rijn *»Ein Gemälde ist komplett, wenn es die Schatten eines Gottes enthält.«*

Ein rauschender Erfolg

Rembrandt van Rijn (1606–1669) wurde in Leiden in den Niederlanden geboren. Er besuchte die Universität von Leiden, verließ sie aber, um bei zwei Malern eine Ausbildung zu absolvieren. Nachdem er zusammen mit einem Freund einige Zeit in einem gemeinsamen Atelier in seiner Heimatstadt gearbeitet hatte, ging er nach Amsterdam, wo er wichtige Aufträge vom Hof in Den Haag und vielen hochrangigen Familien und Organisationen erhielt. Er heiratete die wohlhabende Saskia und sie bezogen ein großes Haus. Er begann, Kunst und Antiquitäten zu sammeln und gab damit viel Geld aus. Beeinflusst von der italienischen Kunst, die er als Drucke kennenlernte, nutzte er eine starke Hell-Dunkel-Malerei und breitere Pinselstriche, und sein Erfolg nahm zu. Später verlor dieser Kunststil allerdings an Popularität, und er musste seinen Bankrott erklären, um dem Gefängnis zu entgehen.

Spirituelles Licht

Dieses Bild, das die biblische Geschichte von Jesu Geburt in einem Stall in Bethlehem und seiner Anbetung durch die Hirten darstellt, gehört zu einer Serie von sieben Gemälden, in denen Rembrandt das Leben Christi darstellt. Er malte sie im Auftrag des Statthalters Friedrich Heinrich Prinz von Oranien. Rembrandt nutzte hier starke Lichtkontraste, um das Gefühl zu erzeugen, das Baby würde ein spirituelles Licht ausstrahlen. Die Heilige Familie und die Hirten umringen die strohgefüllte Krippe. Maria, Josef und zwei der Hirten werden von dem Licht erleuchtet, das von dem Kind ausgeht. Dieses Licht scheint angesichts des dunklen Stalles besonders blendend zu sein. In der Düsternis sind gerade noch einige Tiere und andere Figuren zu erkennen, die Jesus anbeten.

Erinnerungen

Die Stärke von Rembrandts Interpretation dieser bekannten Geschichte ergibt sich aus den intensiven Kontrasten von Hell und Dunkel. Das leuchtende Baby repräsentiert die Hoffnung, während die Dunkelheit des Stalles das Fehlen der Hoffnung vor der Geburtssignalisiert. Rembrandt legte die Komposition so an, dass die Augen des Betrachters auf verschiedene Elemente gelenkt werden, die anfangs vielleicht nicht offensichtlich waren. Details wie die Laterne und der Turban des Mannes im Hintergrund sind nur Requisiten, um den Betrachter in das Drama hineinzuziehen. Alle Personen im Stall sind durch den Anblick des neugeborenen Kindes sichtlich bewegt. Das Gemälde erinnert an die Aufregung einer Geburt und die eigene Kindheit. Die Erinnerung führt uns zurück zu diesen Gefühlen von Sicherheit und bietet Unterstützung und Hoffnung trotz aller gegenwärtigen Probleme.

Anbetung der Hirten

1646 • Öl auf Leinwand • 97 x 71,3 cm • Alte Pinakothek, München, Deutschland

Hoffnung finden

J.M.W. Turner »Alles das, was in der Natur schön ist auszuwählen, zu kombinieren und zu konzentrieren ... ist ... die Aufgabe des Landschaftsmalers.«

Turners Atmosphären

Der englische Maler, Zeichner und Aquarellist der Romantik Joseph Mallord William Turner (1775–1851) ist für seine ausdrucksvollen Landschaftsgemälde bekannt. Er schuf in seinem Leben mehr als 550 Ölgemälde, 2.000 Aquarelle und 30.000 Zeichnungen und hatte einen ungeheuren Einfluss. Er wurde in London geboren, wo er auch sein Leben verbrachte, wenn er auch ganz Europa bereiste und zeichnete. Mit vierzehn Jahren war er in die Royal Academy of Arts in London eingetreten, mit fünfzehn stellte er dort sein erstes Werk aus, mit 27 wurde er zum Mitglied der Akademie gewählt. Er fertigte außerdem Architekturzeichnungen an und eröffnete eine eigene Galerie. Von 1807 bis 1828 lehrte er Perspektive an der Royal Academy. Nach dem Tod seines Vaters 1829 durchlitt er depressive Phasen und sein Werk wurde noch atmosphärischer.

Transparent und halbdeckend

Turner reiste mehrmals in die Schweiz, unter anderem 1843 für einen längeren Aufenthalt. Dieser Blick wurde von einem schottischen Kunstsammler beauftragt und gehörte später dem Autor und Kunstkritiker John Ruskin (1819–1900), einem großen Bewunderer Turners. Dargestellt ist der Sonnenaufgang über dem Zugersee. Die atmosphärischen Lichteffekte erzielte er durch den wiederholten Auftrag transparenter und halbdeckender

Aquarellfarben. Während die Sonne zwischen den Bergen Rossberg und Mythen aufgeht, reflektiert sie schimmernd auf dem strahlend blauen See. Turner erzeugte diese Reflexion, indem er das weiße Papier an diesen Stellen nicht bemalte oder die Farbe wegkratzte. Am Fuß der Berge liegt eine kleine Stadt und im Vordergrund spielen nackte Mädchen im See, während andere ihr Tagwerk beginnen.

Neuanfänge

Ruskin beschrieb Turner als den Künstler, der »die Stimmungen der Natur am rührendsten und wahrheitsgetreuesten messen konnte«. Hier demonstriert er seine einzigartige Kunstfertigkeit mit seiner Schaffung flüchtiger atmosphärischer Effekte. Er gehörte aber auch zu den Künstlern, die mit ihren Bildern Neuanfänge erkundeten. Eines der wirksamsten Symbole dafür ist der Sonnenaufgang. »Die Sonne ist Gott«. Er war sich der Wirkung vollkommen bewusst, die die Sonne in seinen Gemälden ausübte und experimentierte genau wie andere Künstler mit der Gegenüberstellung von erwachendem menschlichem Leben und der strahlenden Natur in der Morgendämmerung. Man sollte diese Darstellungen des Sonnenaufgangs sowohl wegen ihrer Schönheit als auch wegen ihrer zugrunde liegenden Bedeutung bewundern – sie geben den Betrachtern eine Woge von Hoffnung für die Zukunft.

Der Zugersee
1843 • Aquarell über Graphit • 29,8 x 46,6 cm
The Metropolitan Museum of Art, New York, USA

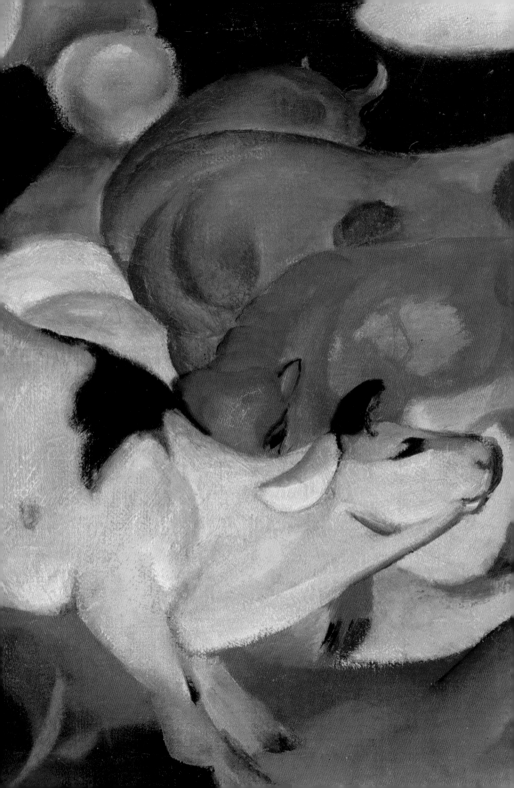

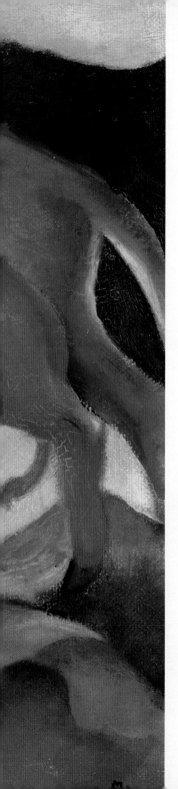

Glück annehmen

Van Gogh schrieb einmal: »Kunst dient dazu, jene zu trösten, die vom Leben gebrochen sind«, während die amerikanische Textilkünstlerin und Druckerin Anni Albers (1899–1994) erklärte: »Kunst ist etwas, das dich mit einer ganz anderen Art von Glück atmen lässt.«

Es gibt immer mehr wissenschaftliche Beweise dafür, dass Kunst die Macht besitzt, uns aufzurichten. Kunst wirkt sich auf die Hirnströme, das Nervensystem und den Dopaminspiegel aus, sie kann im wahrsten Sinne des Wortes die Stimmung einer Person heben. Darüber hinaus haben Studien gezeigt, dass kulturelle Erfahrungen, wie Galerie- oder Museumsbesuche wichtig für das individuelle Wohlbefinden sind. In *Wie Kunst Ihr Leben verändern kann* erklären Alain de Botton und John Armstrong, wie die Kunst uns emotional helfen und eine ganze Reihe von Problemen lindern kann. Dieses Kapitel erkundet all diese Aspekte der Kunst und zeigt, wie sie uns durch Kunstwerke von Künstlern wie Judith Leyster, Henri Matisse, Niki de Saint Phalle, Akseli Gallen-Kallela, Franz Marc und Georges Seurat Glück einflößen kann.

Kühe Rot, Gelb, Grün (Detail) von Franz Marc; siehe Seite 177.

Judith Leyster »*Ein Gemälde ist fertig, wenn der Künstler sagt, dass es fertig ist.*« Rembrandt van Rijn

Ein niederländischer Star

Judith Leyster (1609–1660), eine Zeitgenossin Rembrandts, wurde während ihres Lebens gefeiert und gehörte zu den ersten Frauen, die in die Haarlemer Sankt-Lukas-Gilde aufgenommen wurden. Nach ihrem Tod schrieb man jedoch einen Großteil ihrer Werke männlichen Künstlern zu. Sie wurde als achtes von neun Kindern in Haarlem geboren, allerdings gibt es kaum Informationen über ihre Kindheit und Jugend. Mit neunzehn arbeitete sie als Künstlerin. Sie zog nach Utrecht, wo sie ihren Stil an die »Utrechter Caravaggisten« anpasste, eine Künstlergruppe, die stark von Caravaggio beeinflusst war. Sie spezialisierte sich auf Genreszenen und ausdrucksvolle Pinselarbeit und signierte ihre Werke mit einem Monogramm, das ihre Initialen in einem Stern zeigt – ein Wortspiel mit ihrem Namen, da *leister* auf niederländisch so viel wie »Leitstern« bedeutet.

Unschuldiger Spaß

Zwei rotwangige Kinder lachen. Das vordere Kind hält eine kleine schwarzweiße Katze, die zwar ein bisschen besorgt dreinschaut, aber dennoch bequem zusammengerollt auf dem Arm bleibt. Der Junge mit der Katze trägt eine elegante hellbraune Jacke mit blauen Tressen sowie blaue Hosen. Sein Haar ist ungekämmt und seine Finger sind schmutzig, sein leuchtend roter Hut hat eine kecke schwarze Feder. Der kleinere Junge trägt Grau, sein Haar ist

ebenfalls verwuschelt und seinen Hut hat er offenbar verloren. Diese Art von entspanntem Genregemälde mit nur wenigen lebhaften Figuren war in den 1620er-Jahren in den Niederlanden sehr beliebt, und Leyster war eine Expertin darin, die lebendig wirkenden Persönlichkeiten mit ihrem lockeren, selbstbewussten Pinselstrich, der natürlichen Farbpalette und einem sanften Farbauftrag festzuhalten.

Wie ein Kind denken

Wenn ein Erwachsener Glück verspürt, dann vergleicht er das Gefühl unbewusst oft mit vergangenen Erfahrungen oder misst es an dem, was sonst gerade passiert. Seine Freude ist nur selten so frei und unschuldig wie die eines Kindes. Dieses Gemälde ruft das sorgenfreie Gefühl von Freude und Glück hervor, das Kinder spüren. Sie scheinen im Moment zu leben und sich zu erfreuen, ohne Schuldgefühle oder Sorgen um andere Dinge. Die lässige Komposition und die schnellen, dynamischen Pinselstriche in den Haaren verweisen auf die schnelllebige Natur von Kinderspielen; Leyster erinnert uns daran, wie es ist, ein Kind zu sein. Wie Andy Warhol sagte: »Man muss sich von den kleinen Dingen, die einen normalerweise langweilen würden, plötzlich begeistern lassen.«

Lachende Kinder mit einer Katze
1629 • Öl auf Leinwand • 61 x 52 cm • Privatsammlung

Henri Matisse »*Er, der liebt, fliegt, rennt und frohlockt, er ist frei und nichts hält ihn zurück.*«

Matisses Herausforderungen

Henri Matisse (1869–1954) hatte zwar eine juristische Ausbildung, entdeckte jedoch die therapeutische Wirkung des Malens, als er sich mit einundzwanzig Jahren von den Folgen einer Blinddarmoperation erholte. Gemeinsam mit André Derain (1880–1954) begründete er 1905 den Fauvismus, eine farbenfroh-emotionale Kunstbewegung. Als er sich viel später, im Alter von einundachtzig Jahren, zwei Darmoperationen unterziehen musste, zeigte sich erneut die heilende Kraft der Kunst. Er war bettlägerig und hatte einen Großteil seiner körperlichen Kraft eingebüßt. Statt sich jedoch der Depression zu ergeben, griff er zur Schere und schnitt Formen aus Papier aus, das zuvor leuchtend mit Gouache bemalt worden war. War er mit seinen Arrangements zufrieden, klebte er sie auf Papier oder Leinwand. Er bewies ganz eindeutig, dass Kunst heilen kann.

Arkadische Landschaft

In diesem Bild stellt Matisse die Manifestation des Glücks dar. Das Gemälde gilt heute als einer der Vorreiter des Modernismus. Es wurde im März 1906 in Paris ausgestellt und war möglicherweise Picassos Inspiration für seine bahnbrechenden *Les Demoiselles d'Avignon* (1907). In einem Wäldchen sind nackte Figuren zu sehen, die sich ausruhen, küssen, reden, tanzen und musizieren. Die Farben und verzerrten Formen machen daraus fast eine Abstraktion. Dies ist Arkadien, ein mythischer Ort, der in antiken Texten und Gedichten als Idylle beschrieben wird, in der die Menschen in Seligkeit leben, der Natur nahe und rein. Eine von Matisses letzten Aussagen drückte seine Überzeugung über die Wirkungen des Malens aus: »Farben nehmen dich für sich ein. … Ein bestimmtes Blau dringt in deine Seele. Ein bestimmtes Rot kann deinen Blutdruck beeinflussen.«

Gute Gesundheit

Wie Matisse bewusst gewesen zu sein scheint, kann Kunst glücklich machen und die Gesundheit verbessern. Er schrieb einst, dass er bemüht war, Kunst zu erschaffen, die »ein besänftigender, beruhigender Einfluss auf den Geist ist, fast wie ein guter Sessel«. Sein einfallsreicher Einsatz von Farben, Linien und Formen und seine originellen Interpretationen der Welt um ihn herum haben vielleicht zuerst geholfen, seine eigene Gesundheit zu verbessern und seine Sorgen um das Frankreich der Nachkriegszeit zu lindern, doch Matisses Kunst ist erhebend und ermutigend für alle. Dieses Bild strahlt Freude aus, seine zentralen Figuren sind mit leuchtenden Farben umgeben, aber auch allen anderen scheint es gut zu gehen. Die positiven Wirkungen der Kunst zeigen sich in diesem Bild, in dem Kreis der fröhlichen Tänzer und Musikanten.

Die Lebensfreude
1905 • Öl auf Leinwand • 176,5 x 240,7 cm • Barnes Foundation, Philadelphia, USA

Niki de Saint Phalle »Malen beruhigte das Chaos, das meine Seele erschütterte.«

Saint Phalles Entschlossenheit

Die in Paris geborene Niki de Saint Phalle (1930–2002) schuf riesige Frauenfiguren mit oft verstörenden Elementen. Sie entstammte einer aristokratischen katholischen Familie. Ihr französischer Vater hatte sein Geld in der Wirtschaftskrise verloren und die Familie zog in die Heimatstadt ihrer Mutter, nach New York City. Mit achtzehn brannte sie mit einem Jugendfreund durch. Sie zogen nach Paris und reisten dann durch Europa. Nachdem sie mit einem »Nervenzusammenbruch« diagnostiziert und in eine psychiatrische Einrichtung eingewiesen worden war, begann sie zu malen. Sie zog nach Mallorca, wo sie das Werk von Antoni Gaudí (1852–1926) kennenlernte. Mit ihrem zweiten Ehemann, dem Künstler Jean Tinguely (1925–1991), schloss sie sich der Bewegung des Nouveau Réalisme an. Ihre berühmtesten Arbeiten, die *Nanas*, entstanden in den 1960er-Jahren als Reaktion auf die Unterdrückung der Frauen durch die Männer.

Üppige Figur

Diese Frau aus Saint Phalles Serie der *Nanas* wirkt souverän. Ihre Kurven sind übertrieben, ihr Kopf ist im Vergleich klein. Sie repräsentiert alle Frauen. Venus war die römische Göttin der Liebe, Schönheit und Fruchtbarkeit, doch ganz anders als ihre stereotypen Darstellungen in früheren künstlerischen Traditionen, »tanzt« diese üppige schwarze Figur selbstbewusst in ihrem auffallend gemusterten Badeanzug, während sie mit einem

Wasserball spielt. Indem sie die Göttin der Liebe und Schönheit stark, aktiv und schwarz darstellt statt sanft, passiv und weiß, feiert Saint Phalle ganz besonders afrikanische Frauen. Sie schuf auch eine Serie weißer und andersfarbiger *Nanas*, um auszudrücken, dass alle Frauen Göttinnen sind.

Freude bringen

Mit fünfundzwanzig besuchte Saint Phalle Gaudís Park Güell in Barcelona. Später erinnerte sie sich, dass dies ihr Leben veränderte: »Ich sagte mir, dass ich mir eines Tages auch einen Garten des Glücks bauen würde. Ich sah die Mütter mit ihren Kindern und spürte einen Hauch von Freiheit; die Menschen schienen die Sorgen des Alltags weit hinter sich gelassen zu haben. Erwachsene und Kinder waren hier in einer Atmosphäre der Träume und der Freude.« Kunst war für Saint Phalle eine Therapie. Kunst herzustellen half ihr, ihre Qual zu verscheuchen, weil sie ihren Geist beschäftigte und er ihr erlaubte, anderen Glück zu vermitteln. »Ich gebe der Gesellschaft etwas zurück. Ich möchte den Menschen Freude bringen.« Ihre *Nanas* sind Ausdruck reiner Freude. Die leuchtenden Farben, Muster, Kurven und die Andeutung von Tanz schaffen ein Glücksgefühl – die ausgelassene Figur scheint uns einzuladen, mitzumachen.

Schwarze Venus
1965–67 • bemaltes Polyester • 279,4 x 131,1 x 78,3 cm
Whitney Museum of American Art, New York, USA

Glück annehmen

Akseli Gallen-Kallela »*Silbrige Streifen auf der Oberfläche des ruhigen Wassers sind die Wellen, die von kommender Leidenschaft künden.*«

Das Kalevala

Akseli Gallen-Kallela (1865–1931), berühmt für seine Gemälde des finnischen National-epos *Kalevala* sowie von Finnlands Landschaften und Menschen, wurde von Realismus und Symbolismus beeinflusst. Das 1835 veröffentlichte *Kalevala* (Land der Helden) war eine Zusammenstellung finnischer Volkslieder und -gedichte. Gallen-Kallela liebte sowohl das Werk als auch Finnland selbst, und obwohl er viel herumreiste und malte, bevorzugte er immer sein eigenes Land. Ab 1878 nahm er Zeichenunterricht in Helsinki, von 1882 bis 1889 wurde er in Paris ausgebildet, und zwar sowohl von einem finnischen Künstler als auch an der Académie Julian und dem Atelier Cormon. Zurück in Finnland malte Gallen-Kallela 1888 ein Triptychon, das auf dem *Aino-Mythos* einer Szene aus dem *Kalevala* beruht. Es wurde so gut aufgenommen, dass der finnische Staat ihn beauftragte, eine zweite Version zu malen. Es folgten weitere Szenen aus dem *Kalevala* mit ebensolcher Popularität.

Väinämöinens Erwachen

Dieses Bild, eines von vier Gemälden, die Gallen-Kallela 1905 von dem abgelegenen See Keitele in Mittelfinnland schuf, gibt die Stimmung des damals erwachenden finnischen Nationalismus wieder. Von 1809 bis 1917 war Finnland ein autonomer Bestandteil des Russischen Kaiserreiches. Seit Ende des 19. Jahrhunderts strebte das finnische Volk nach seiner Unabhängigkeit. Gallen-Kallela drückte dieses Verlangen aus und bezog sich dabei auf Ideen aus dem *Kalevala*. Er beschrieb das schimmernde Zickzackmuster auf der Oberfläche des Sees als »Väinämöinens Erwachen« – Väinämöinen ist die Hauptfigur des *Kalevala*. Tatsächlich sind die Zickzacklinien eine natürliche Erscheinung, die durch den Wind und die Strömungen im See verursacht werden.

Ruhe und Freude

Indem er die Idee der Gelassenheit mit den mächtigen Kräften der Natur und die finnische Mythologie mit der nationalen Politik seiner Zeit kombiniert, schafft Gallen-Kallela eine atmosphärische Szene, die man wörtlich nehmen oder romantisch verklärt im Sinne der alten Erzählungen sehen kann. Dieser friedvoll aussehende finnische See mit seiner baumbestandenen Insel völlig ohne Menschen weckt das Gefühl von Freiheit, lässt aber auch an Übernatürliches denken. Das Bild ist seltsam vertraut, gar nostalgisch, obwohl es von einem einsamen Ort in Finnland handelt, an dem die meisten noch nie waren. Die Kombination aus Unabhängigkeit, Intimität und Erinnerung kann Freude auslösen, vor allem aber liegt über dieser Szene ein Gefühl von völliger Ruhe. Sie könnte als Bild für die Meditation dienen.

Keitele
1905 • Öl auf Leinwand • 53 x 66 cm • The National Gallery, London, Großbritannien

Franz Marc »Die Kunst geht heute Wege, von denen unsere Väter sich nichts träumen ließen ... man fühlt eine künstlerische Spannung über ganz Europa.«

Das Schicksal der Menschheit

Obwohl seine Karriere durch seinen frühen Tod jäh abriss, hatte Franz Marc (1880–1916) einen immensen Einfluss auf die verschiedenen expressionistischen Bewegungen, die sich nach dem 1. Weltkrieg entwickelten. In München geboren, studierte er Theologie und Philosophie, bevor er die Münchner Kunstakademie besuchte und dann nach Paris reiste, wo er besonders von van Gogh und den Postimpressionisten beeinflusst wurde. 1909 zog er auf das Land und wurde berühmt für seine Gemälde von Tieren in strahlenden Farben, die Andeutungen über die natürliche Welt und das Schicksal der Menschheit enthalten. Zusammen mit Kandinsky gründete Marc die expressionistische Gruppe Der Blaue Reiter, die mithilfe von abstrakten Formen und kräftigen Farben ihre Sorgen über den Zustand der heutigen Welt zum Ausdruck brachte.

Sentimentalität vermeiden

Marc malte zwar oft Tiere, vermied aber jede Sentimentalität. Er glaubte, dass Tiere Tugenden besitzen, die den Menschen verlorengegangen sind. 1915 schrieb er: »Menschen, vor allem Männer, mit ihrem Mangel an Frömmigkeit, haben meine wahren Gefühle nie berührt, doch Tiere mit ihrem jungfräulichen Sinn für das Leben erweckten alles, was gut ist in mir.« Das ist ein fröhliches Bild. Marc benutzte genau wie van Gogh Farben, um Emotionen auszudrücken, und Farbsymbolismus ist ein wesentlicher Aspekt des Gemäldes. Hier stehen ein rotes Kalb und ein grüner Stier hinter der gelben Kuh. Gelb war für Marc die Farbe der Weiblichkeit und der Freude, und er schuf dieses Bild, um damit seine Liebe für seine zweite Frau Maria Franck auszudrücken, die auch Künstlerin war. Die Kuh selbst repräsentiert die Geborgenheit, die Sicherheit und das Glück, die er in ihrem Bund spürte.

Sanft und sinnlich

Die glücklich springende gelbe Kuh beherrscht den Vordergrund einer farbenprächtigen Komposition, die eine idyllische Zufriedenheit ausstrahlt. Marc glaubte unbedingt an das Potenzial von Farben, die Stimmung zu beeinflussen. Ende 1910, kurz bevor er dieses Bild malte, hatte er seine eigene Theorie zum Symbolismus der Farben entwickelt: »Gelb ist das weibliche Prinzip, sanft, heiter und sinnlich[,] Rot die Materie.« In diesem Gemälde, das seinem berühmten Werk Die gelbe Kuh (1911; Solomon R. Guggenheim Museum, New York) außerordentlich ähnlich ist, sollte die Fülle an Goldgelb ein Glücksgefühl ausdrücken, wie es auch van Gogh tat, und den Betrachter damit an die erhebende Wirkung der goldenen Sonnenstrahlen erinnern.

Kühe Rot, Gelb, Grün
1911 • Öl auf Leinwand • 62 x 87,5 cm
Städtische Galerie im Lenbachhaus, München, Deutschland

Georges Seurat »Sie [diejenigen, die sein Werk loben] erkennen Poesie in dem, was ich getan habe.«

Seurats Divisionismus

George Seurat (1859–1891), einer der wichtigsten Postimpressionisten und der Begründer des Neoimpressionismus, setzte genau wie die Impressionisten auf Farbe, verwarf aber die offenkundige Spontaneität ihrer Pinselarbeit und entwickelte eine eher strukturierte, wissenschaftliche Annäherung an die Farbe. Er wurde berühmt für seine Technik, winzige Punkte aus reiner Farbe aufzutragen, den sogenannten Divisionismus oder Pointillismus. Der Pariser Seurat studierte Kunst an der École des Beaux-Arts, am Louvre und bei dem hoch angesehenen Pierre Puvis de Chavannes (1824–1898). Zunächst zeichnete er mit Conté-Kreidestiften, war aber bald fasziniert von den wissenschaftlichen Farbtheorien, besonders der Nebeneinanderstellung von Komplementärfarben, um leuchtendere optische Effekte zu erzielen. Trotz seines frühen Todes mit einunddreißig Jahren waren seine Erkenntnisse überaus einflussreich.

Tausende von Punkten

Dieses große Gemälde war eine Sensation auf der achten und letzten impressionistischen Ausstellung 1886 in Paris. So etwas hatte man noch nicht gesehen. Das Werk, das Pariser zeigt, die einen entspannten Nachmittag auf einer kleinen Seine-Insel verbringen, ist monumental und innovativ. Ganz methodisch baute Seurat das Bild aus winzigen Punkten reiner Farbe auf. Sein Vorgehen beruhte auf der wissenschaftlichen Theorie, dass die resultierenden Farben eine größere Leuchtkraft erhalten, wenn man einzelne Farbpunkte auf der Leinwand nebeneinander platziert, ohne sie vorher auf der Palette zu mischen. Die Komposition ist bewusst unrealistisch. Nach vielen vorbereitenden Studien, bei denen er mit verschiedenen Gruppierungen experimentierte, schuf Seurat vereinfachte und stilisierte Figuren aus unterschiedlichen Gesellschaftsklassen mit ausdruckslosen, anonymen Gesichtern.

Linien und Winkel

Bei der Ausstellung lernte Seurat den Wissenschaftler Charles Henry (1859–1926) kennen, der 1885 ein Buch seiner Theorien über die psychologischen und physiologischen Wirkungen von Linien und Farben auf den Betrachter veröffentlicht hatte. Er vermutete, dass Richtung, Anzahl und Winkel der Linien Wahrnehmung und Emotionen des Betrachters beeinflussen. Außerdem vermutete er, dass Linien je nach ihren Winkeln rhythmisch oder dynamisch sein und energische und fröhliche Gefühle auslösen können. Diese Konzepte bestätigten Seurats eigene Ideen. Er glaubte zum Beispiel, dass horizontale Linien Ruhe bedeuten, während auf- und abweisende Linien Freude bzw. Trauer vermitteln. Beachten Sie entsprechend die Betonung der nach oben weisenden Linien in dieser Komposition – Seurat wollte, dass sein Gemälde zur Freude anregt.

Ein Sonntagnachmittag auf der Insel La Grande Jatte
1884–86 • Öl auf Leinwand • 207,5 x 308 cm
Art Institute of Chicago, Illinois, USA

Zitate

Seite 14 Zitiert in *Notes d'un Peintre* (Notizen eines Malers), Henri Matisse, 1908, S. 413 (wiederveröffentlicht von Centre Georges Pompidou Service Commercial, 12. Oktober 2011) **Seite 16** Zitiert in John Gruen, *The Artist Observed: 28 Interviews with Contemporary Artists* (Chicago: Chicago Review Press, 1991), S. 3 **Seite 18** Zitiert in *Orazio and Artemisia Gentileschi* (New York: The Metropolitan Museum of Art, 2001) **Seite 20** George Grosz, *Ein kleines Ja und ein großes Nein, Sein Leben von ihm selbst erzählt* (Reinbek: Rowohlt, 1955) **Seite 22** Nina Azzarello, »Interview with Pipilotti Rist as Major Exhibit Opens at the Louisiana Museum of Modern Art«, 17. März 2019, www.designboom.com/art/pipilotti-rist-interview-louisiana-museum-denmark-03-17-2019 **Seite 24** Offenbarung 6:17, Die Bibel nach der Übersetzung Martin Luthers **Seite 28** Tagebucheintrag 1. April 1920, *The Diary and Letters of Kaethe Kollwitz* (Evanston, IL: Northwestern University Press, 1988) **Seite 30** Rebecca Jagoe, »Colonialism and Cultural Hybridity: An Interview with Yinka Shonibare, MBE«, 13. Januar 2017, https://theculturetrip.com/africa/nigeria/articles/colonialism-and-cultural-hybridity-an-interview-with-yinka-shonibare-mbe **Seite 32** Louise Bourgeois, *Destruction of the Father/Reconstruction of the Father: Writings and Interviews, 1923-1997* (Cambridge, MA: MIT Press, 1998) **Seite 34** Zitiert in Sacha Llewellyn, *Winifred Knights (1899-1947)*, Ausstellungskatalog (London: Dulwich Picture Gallery, 2016) **Seite 36** Zitiert in Annabelle Gorgen und Hubertus Gassner, *Helene Schjerfbeck: 1862-1946* (München: Hirmer Verlag, 2007), S. 35 **Seite 38** Brief von Goya an seinen Freund Don Martín Zapater, datiert Februar 1784, einer von 132 überlieferten Briefen von Goya an Zapater zwischen 1775 und 1801; *Goya, A Life in Letters* (London: Pimlico, 2004) **Seite 42** Monet in einem Brief an Frédéric Bazille, 1864 **Seite 44** Tagebuchillustration von 1953, Hayden Herrera, *Frida: A Biography of Frida Kahlo* (London: Bloomsbury, 1983), S. 415 **Seite 46** Zitiert in Selden Rodman, *Conversations with Artists* (New York: Devin-Adair Co., 1957) **Seite 48** Zitiert in Frank Whitford, *Klimt* (London: Thames & Hudson, 1990), S. 18 **Seite 50** Yayoi Kusama, *Infinity Net: The Autobiography of Yayoi Kusama* (London: Tate Publishing, 2013) **Seite 52** Brief von 1886 von Claudel an Auguste Rodin, zitiert auf einem Schild am Quai de Bourbon 19, Paris **Seite 56** Zitiert in Dennis Abrams, *Georgia O'Keeffe* (New York: Infobase Publishing, 2009) **Seite 58** Isabelle-Graw-Interview, *Wolkenkratzer Art Journal*, 1986 **Seite 60** *Andrew Wyeth: Autobiography* (New York: Little, Brown, 1999) **Seite 62** Zitiert in Arne Glimcher, *Agnes Martin: Paintings, Writings, Remembrances* (London: Phaidon, 2012) **Seite 64** Tagebucheintrag, 3. Juni 1902, #411 in *The Diaries of Paul Klee, 1898–1918* (Berkeley: University of California Press, 1968) **Seite 66** Georges Duthuit, »Où allez-vous Miró?« (Wohin gehst du, Miró?), *Cahiers d'Art*, xi/8-10, 1936 **Seite 70** Zitiert in *The Private Journals of Edvard Munch: We Are Flames Which Pour Out of the Earth* (Madison: University of Wisconsin Press, 2005) **Seite 72** Zitiert in Helmut Börsch-Supan, *Caspar David Friedrich* (New York: George Braziller, 1974), S. 7-8 **Seite 74** Zitiert in J. L. Jules David, *Le Peintre Louis David 1748-1825* (Paris:

Victor-Havard, 1880) **Seite 76** Zitiert in Dan Cameron, *Dancing at the Louvre: Faith Ringgold's French Collection and Other Story Quilts* (Berkeley: University of California Press, 1998) **Seite 78** Q+A with Alexander in *Art in America*, 3. August 2012, www.artnews.com/art-in-america/interviews/jane-alexander-cam-houston-56282 **Seite 80** Kiefer, 2011, zitiert in *Wall Street International*, 6. August 2012 **Seite 84** Rothko, 1949. Daugavpils Mark Rothko Art Centre **Seite 86** Zitiert in *Michelangelo: Poems and Letters: Selections* (London: Penguin, 2007) **Seite 88** Zitiert in Jean Cocteau, *Journals*, I »War and Peace« (New York: Criterion Books, 1956) **Seite 90** Psalmen 147:3, Die Bibel in der Übersetzung nach Martin Luther **Seite 92** American Humanist Association, www.americanhumanist.org/what-is-humanism/definition-of-humanism **Seite 94** Zitiert in Roberto Longhi, *Caravaggio* (Frankfurt: Edition Leipzig, 1968) **Seite 98** Zitiert in Miles Menander Dawson, *The Ethics of Confucius* (New York: Cosimo, 2005) **Seite 100** Zitiert in *Barbara Hepworth: A Pictorial Biography* (London: Tate Publishing, 1970) **Seite 102** Auszug aus einem Brief von Vincent van Gogh an Theo van Gogh, Den Haag, 8. oder 9. Januar 1882 **Seite 104** Zitiert in Karl R. Popper, Introduction to *Conjectures and Refutations: The Growth of Scientific Knowledge* (New York: Basic Books, 1962) **Seite 106** Zitiert in Laban Carrick Hill, *Harlem Stomp!: A Cultural History of the Harlem Renaissance* (New York: Little, Brown, 2011) **Seite 108** Marcel Proust, *À la Recherche du Temps Perdu* (Paris: Grasset and Gallimard, 1913-27), veröffentlicht auf deutsch als *Auf der Suche nach der verlorenen Zeit*, Bd. VII: *Die wiedergefundene Zeit* (1927), Kap. 3: »Eine Matinee im Hause der Fürstin von Guermantes« (Frankfurt: Suhrkamp, 2018) **Seite 112** Zitiert durch Toledo Museum of Art, Ohio: http://emuseum.toledomuseum.org/objects/54999 **Seite 114** Brief von Sargent an Claude Monet aus Rue Tronchet 1, Paris **Seite 116** www.phillips.com/detail/kara-walker/UK010820/42 **Seite 118** Zitiert von Samella Lewis in *IRAAA Journal* (damals *Black Art*), I (Herbst 1976) **Seite 120** Zitiert in Sikh Heritage, www.sikh-heritage.co.uk/arts/amritashergil/amritashergill.html **Seite 122** Zitiert in Thoughtco., www.thoughtco.com/mary-cassatt-quotes-3530144 **Seite 126** Aus einem Interview von 1910, zitiert in Cornelia Stabenow, *Henri Rousseau 1844-1910* (Köln: Taschen, 2001), S. 25 **Seite 128** Zitiert in Kelly Richman-Abdou, »Rediscovering Joaquín Sorolla: The Spanish Impressionist Known as a ›Master of Light‹«, 14. April 2019, www.mymodernmet.com/joaquin-sorolla-spanish-impressionism **Seite 130** Inschrift auf dem Rahmen von van Eycks *Mann im roten Turban*, 1433 **Seite 132** Zitiert in Christopher Makos, *Warhol Memoir* (Milan: Edizioni Charta, 2009) **Seite 134** Zitiert durch Tate Modern, www.tate.org.uk/art/artworks/rego-the-firemen-of-alijo-t07778 **Seite 136** Zitiert durch Tate Modern, www.tate.org.uk/art/artists/lubaina-himid-2356/lubaina-himid-painter-and-cultural-activist **Seite 140** Zitiert in *Degas' Ballet Dancers* (New York: Universe, 1992) **Seite 142** Zitiert in *University of Illinois Extension*, Sommer 2017 **Seite 144** Aus Piet Mondrian, »The Grand Boulevards«, *De Groene Amsterdammer*, 27. März 1920, S. 4-5 **Seite 146** Zitiert in James A. Michener, *The Hokusai Sketchbooks: Selections from the Manga* (North Clarendon, VT: Charles E. Tuttle, 1965) **Seite 148** Zitiert in Stephen F. Eisenman, Hrsg., *Nineteenth Century Art: A Critical History*, 3rd edn (London: Thames & Hudson, 2007), S. 18-54 **Seite 150** Marc Chagall, *Chagall by*

Chagall (New York: Harry N. Abrams, 1979) **Seite 154** Rodin zugeschrieben in Herbert Read, *Modern Sculpture: A Concise History* (London: Thames & Hudson, 1964), wie zitiert in Karl H. Pfenninger und Valerie R. Shubik, *The Origins of Creativity* (Oxford: Oxford University Press, 2001), S. 50 **Seite 156** Wassily Kandinsky, *Über das Geistige in der Kunst* (München: Piper, 1911) **Seite 158** Zitiert bei Smithsonian American Art Museum, www.americanart.si.edu/artist/augusta-savage-4269 **Seite 160** Platon, *Der Staat*, Buch III, Abschnitt 413c **Seite 162** in frühen Biografien Rembrandt zugeschrieben, wie zitiert in Alison MacQueen, *The Rise of the Cult of Rembrandt: Reinventing an Old Master in Nineteenth-century France* (Amsterdam: Amsterdam University Press, 2014) **Seite 164** Turner, ca. 1810, zitiert in Dennis Hugh Halloran, *The Classical Landscape Paintings of J.M.W. Turner* (Madison: University of Wisconsin Press, 1970), S. 75 **Seite 168** In frühen Biografien Rembrandt zugeschrieben, wie zitiert in MacQueen, *The Rise of the Cult of Rembrandt* **Seite 170** Zitiert in Jack Flam, Hrsg., *Matisse on Art* (Berkeley: University of California Press, 1995) **Seite 172** Zitiert bei Guggenheim Bilbao, http://nikidesaintphalle.guggenheim-bilbao.eus/en/painting-violence **Seite 174** Zitiert bei National Gallery, London, www.nationalgallery.org.uk/paintings/akseli-gallen-kallela-lake-keitele **Seite 176** Marcs Manifest für die Gruppe »Der Blaue Reiter«, 1912 **Seite 178** Zitiert in John Rewald, *Post-Impressionism, from Van Gogh to Gauguin* (New York: Museum of Modern Art, 1956), S. 86.

Bildnachweise

Index

Wie Kunst dein Leben verändern kann

© 2023

Midas Collection
Ein Imprint der Midas Verlag AG

ISBN 978-3-03876-245-4

1. Auflage

Herausgeber: Gregory C. Zäch
Übersetzung: Kathrin Lichtenberg
Lektorat: Dr. Friederike Römhild
Layout: Ulrich Borstelmann

Midas Verlag AG
Dunantstrasse 3, CH-8044 Zürich
E-Mail: kontakt@midas.ch
www.midas.ch

Englische Originalausgabe:
How Art Can Change Your Life
© 2022 Mark Fletcher
Text: Susie Hodge

Die deutsche Nationalbibliothek verzeichnet diese
Publikation in der Deutschen Nationalbibliografie;
detaillierte bibliografische Daten sind im Internet
unter www.dnb.de abrufbar.